D1281894

LES TABOUS DES FRANÇAIS

DES MÊMES AUTEURS

ENQUÊTES

J. DUVIGNAUD et J.P. CORBEAU : *La planète des jeunes,* Stock, 1975.

Françoise et J. DUVIGNAUD, J.P. CORBEAU : *La banque des rêves,* Payot, 1979.

OUVRAGES

J.P. CORBEAU : *Le village à l'heure de la télévision,* Stock, 1978.

J. DUVIGNAUD : *Le langage perdu,* P.U.F., 1973.
Fêtes et civilisations, Weber, 1974.
Le don du rien, Stock, 1977.
Le jeu du jeu, Balland, 1980.

JEAN DUVIGNAUD
JEAN-PIERRE CORBEAU

LES TABOUS DES FRANÇAIS

HACHETTE
Littérature Générale

LE LANGAGE D'AILLEURS

« Je veux qu'on m'écoute ! Je veux parler !... J'en ai assez d'écouter sans jamais être entendue », criait cette vieille dame dont on disait qu'elle était folle dans le Paris convulsé de 1968. Écoute-t-on mieux aujourd'hui ceux qui n'ont jamais la parole publique ?

Nous sommes, aujourd'hui comme hier, enveloppés dans la bulle opaque du discours des journaux, de la radio, de la télévision : bulle de mots et d'idées qui s'imbriquent les uns dans les autres pour fournir le langage politique, médical, littéraire, économique. Message permanent. « Univers concentrationnaire » de persuasion et de doux contrôle, plus efficace que l'autre.

Mais aucun de ceux qui « causent », comme on dit, ne met jamais en doute la véracité du message unilatéral adressé à des hommes et à des femmes inconnus mais dont il est certain de « faire le bien » : « La France exige »... « Le parti demande »... « La situation économique implique »... On n'a pas fini de demander à l'homme quelconque de ressembler à l'idée que les « gens éclairés » se font de ce qu'il devrait être et dont les media apportent, toujours de haut en bas, toujours dans le même sens, le flux inlassable.

Le discours qui balaie ainsi le pays, si divers soit-il dans ses intentions voire ses contradictions en régime libéral, reste invariablement émis à partir d'un centre, centre qui dispute parfois à d'autres centres la rationalité et la possession des instruments de la persuasion quotidienne. Quel pays plus que le nôtre depuis la monarchie jusqu'aux jacobins et aux Républiques a concentré avec autant d'obstination, le pouvoir, la culture, l'idéologie dans un même centre, source d'incitations, Paris ?

Nous sommes comme cette vieille dame, lasse de subir les effets du sempiternel langage centrifuge et qui souhaitait, au moins une fois, faire entendre sa parole à elle. On s'est insurgé contre des hiérarchies devenues insupportables. Demain, on s'insurgera contre l'inégalité d'une communication unilatérale.

Que savons-nous vraiment les uns des autres ? Qu'est-ce qu'un discours médical, politique, culturel ou économique dont les mots ne sont qu'un code à l'usage des clercs ? En quoi répond-il à la vie des groupes qui composent la société française d'aujourd'hui ? Nous voudrions tellement que nos contemporains pussent ressembler à ce que nous en disons...

Et les sondages d'opinion, probablement, ont construit un autre barrage entre le discours des uns et la parole des autres. Ils font croire qu'il suffit de questionner des individus statistiquement choisis pour obtenir un tableau véridique de la conscience publique. Et cela en enfermant un nombre infime de personnes (un « échantillon » !) dans le cercle vicieux du « oui », du « non », du « sans avis », puis en traitant ces résultats avec d'autant plus de rigueur mathématique que la matière première — l'« opinion » — est incertaine.

Aucun sondage n'a soupçonné l'irruption des événements de cette époque, pas plus en Europe qu'aux États-Unis. Pas plus que les grands flux de sacré collectif qui balaient aujourd'hui nombre de pays. On dirait que les sondeurs observent le reflet du soleil à la surface d'une eau dormante, sans s'aviser d'y jeter la pierre qui, faisant remonter les couches profondes, révélerait cette activité invisible qui anime toutes les sociétés, fussent-elles apparemment les plus endormies.

C'est tout autre chose de questionner chacun au coin de la rue ou sur le palier d'un immeuble sur ses préférences en politique et de comprendre le sens du vote qu'il effectue ultérieurement : le vote n'est pas le reflet d'une opinion furtivement avouée à un malheureux enquêteur. C'est un acte et qui contredit parfois ce que la réponse « spontanée » avait de superficiel. Une enquête qui s'enferme dans la manipulation statistique des opinions primaires a aussi peu de valeur que celle qui cherche dans ses résultats la justification ou l'alibi d'une doctrine, d'une idéologie.

L'enquête que nous avons entreprise, comme celles que nous avons publiées sur la jeunesse et sur les rêves, ne s'attache pas à ces « opinions ». Elle cherche à atteindre par des entretiens prolongés cette parole oubliée qu'étouffent les média : le langage perdu d'hommes et de femmes enserrés dans le réseau d'un discours monotone et obsédant.

Or, quoi de plus fascinant que cette parole ? Incertaine sans doute, parfois vague ou confuse, mais toujours intentionnelle dès qu'on lui prête attention. L'ethnologie n'est pas seulement la science qui nous fait mieux connaître les Indiens d'Amérique ou les Canaques que les Bretons ou les Occitans, c'est une ethnologie qui devrait nous placer en tête-à-tête avec cette part familière mais encore obscure de la vie commune française...

Les historiens commencent à s'apercevoir qu'il est impossible d'enfermer la vie multiforme d'une période du passé dans le discours officiel ou dominant que l'on en a retenu ou dans une « vision du monde » reconstruite avec les seules idées exprimées dans les cercles intellectuels : en quoi une pièce de Racine ou les *Pensées* de Pascal répondent-elles aux mentalités rurales, artisanales, religieuses d'un siècle en ébullition et sur lequel nous avons fait tomber la chape de plomb de Versailles ? Une dizaine de milliers de personne, durant tout le siècle, a participé aux manifestations esthétiques, politiques ou religieuses d'une élite que nous confondons avec la société...

Jusqu'aux cahiers de doléances de 89 (dont la plupart ont été rédigés par des clercs imbibés des discours des « philosophes »), que savons-nous de la parole commune ? A peine quelques prêches de curés parisiens ou provinciaux, des légendes, des documents de police. La littérature ne s'intéresse guère à ces hommes ou à ces femmes avant le moment où ils franchissent l'invisible frontière qui les sépare de l'élite. Et ce qu'on nous dit sur la « culture » est faribole ou mystification !

Quant au siècle dernier, il n'a guère mieux résolu le problème : Michelet et Hugo inventent le « peuple » comme Danton ou Fichte inventèrent la « nation ». Mais le langage paysan s'effrite dans l'armée, l'école, l'usine comme le langage ouvrier, en pleine effervescence, disparaît avec la Commune. Que viennent Zola ou Céline, et l'on invente un discours que l'on prête à des hommes ou à des femmes qui s'y reconnaissent parfois, mais ne l'ont jamais parlé !

Voilà la région que nous avons cherché à atteindre. Le magnétophone ou les notes du carnet gardent les traces de ces plongées dans la parole des autres. Dès que l'on se dépouille des idées reçues, dès que l'on cesse d'amalgamer le langage et la vie dans sa diversité, émergent des images, des émotions, des idées dont la combinaison suggère l'effervescence d'une pensée cachée sous les apparences...

Par cette investigation de l'expérience commune, nous suivons plusieurs pistes souvent parallèles et qui permettent de saisir de plus près une pulvérulence d'intentions et d'existences.

— Les croyances, d'abord, qui réglementent plus ou moins fortement la vie quotidienne, les « tabous » appris à l'école, en famille, dans la fréquentation des voisinages ou des lieux de travail, voire les mass média.

— La manière dont ces « tabous » sont reçus ou acceptés, souvent récusés et les émotions qui résultent de la soumission ou de la transgression.

— Les signes qui désignent de nouvelles croyances, les nouveaux « tabous » qui émergent dans une société au contexte fluide et perméable, les utopies qui balaient d'un flux spasmodique les profondeurs sociales et poussent ici ou là des hommes et des femmes à s'affirmer, à s'arracher au « charnier natal », à expérimenter une individualité souvent pénible ou douloureuse [1].

— Les casuistiques, les ruses qui permettent à tout un chacun de se « débrouiller » avec les injonctions économiques, sociales ou familiales, les « valeurs », les « tabous », de violer ou de tourner ces prescriptions non écrites, ces codes qui n'ont d'importance que grâce au « consensus » qui les supporte, de « bricoler » sa part d'existence au milieu de la pression générale...

Car chaque génération véhicule son lot de contestations et d'altérations qu'elle apporte au système des mythes, des croyances ou des « tabous », corrode ainsi ces « systèmes » que les ethnologues et les sociologues se plaisent à définir avec une fixité platonicienne. La survie des sociétés ne résulte pas de la conservation des cultures, mais de leur permanente trahison. Et sans ces altérations, souvent imperceptibles au regard de l'observateur enfermé

1. Le but de l'analyse sociologique est surtout, semble-t-il, de se demander pourquoi et comment il existe de l'individuel à partir du collectif et non de réduire les postulations particulières à la « moyenne » des opinions...

dans son idéologie, l'espèce humaine ne serait pas différente de celle des abeilles ou des fourmis.

Dans une société complexe et mouvante comme est la France contemporaine (dont la politique légale et officielle n'est que le reflet imparfait), l'incessant « rafistolage », le « rapiécage » des « valeurs » et des « tabous », la « réinterprétation » des croyances entraîne un dynamisme microscopique, disséminé, occasionnel qui répond sans doute à cette dévalorisation partout attestée du centralisme étatique, de cet État auquel on demande des services mais qui ne représente plus du tout un idéal commun.

Parlera-t-on d'« hypocrisie » ? Depuis Rabelais, Mathurin Régnier, les « moralistes » ou Stendhal, c'est un lieu commun de la littérature. On peut, bien entendu, préférer la « vision tragique » de Pascal qui, dans *Les Provinciales,* défend contre la casuistique de ceux qui cherchent à « bricoler » avec les dogmes, le tête-à-tête de l'homme solitaire avec l'absolu. Mais nous savons que ce ne sont pas ainsi que les choses se passent et que le « tragique » est — qui sait ? — un luxe de privilégiés...

Sans doute, il serait intéressant de savoir si un catholique ou un communiste vivent selon les valeurs et les principes de leur idéologie, si un athée ne se laisse pas envahir de fantasmes qui contredisent son ferme propos, si de menues perversions ne hantent pas les individus figés dans une éthique ou le statut d'une fonction. Est-ce vraiment important ? Les psychologues parlent de l'effritement de la notion de « rôle social » : nous la constatons chaque jour et les hommes ne vivent pas selon ce qu'ils devraient être mais selon ce qu'ils peuvent faire de leur vie. On dirait même, sans anticiper sur l'enquête elle-même, qu'une sorte d'hédonisme et de volonté de plaisir ou de bonheur remplace partout, heureusement peut-être, le respect des valeurs, et que pour y parvenir, la ruse de chaque jour est plus importante que le respect des valeurs.

En fait ce qui nous saisit aujourd'hui, ce n'est pas le respect des valeurs ou des « tabous », mais la continuelle perversion des règles et des croyances établies : la vie ne prend son sens, probablement, qu'au moment où les hommes se faufilent dans les dédales des contraintes et des obstacles qui interdisent aussi bien le plaisir que l'épanouissement. Entre Ulysse et Socrate, nous choisissons Ulysse...

Cette parole commune est dominée, ici comme ailleurs, par les quelques instances naturelles qui sont comme l'empreinte de la matière en nous : la mort, la sexualité, le sacré, le travail, la faim. Avant de susciter des mythes ou des croyances, ces déterminations sont autant de ponts jetés entre la nature et nous.

Or, aucune d'entre elles ne saurait être regardée en face : les rites funéraires socialisent la mort comme les règles élémentaires de la parenté ou la loi de l'inceste éloignent de nous l'afflux de la sexualité ; la nécessité d'extraire sa subsistance de la terre se masque sous la division sociale du travail et la sophistication alimentaire dissimule notre faim de protéines. Ce qu'on nomme chez les ethnologues la « culture » n'est peut-être que l'ensemble varié et divers des réponses que l'homme apporte à ces exigences fondamentales...

On a choisi de prendre ces instances pour assises de notre investigation : d'autres réponses que celles de la philosophie universitaire, de la religion installée ou de l'idéologie sont apportées chaque jour par des hommes et des femmes que nous ne savons pas entendre. Certaines des réponses que nous obtenons mêlent sans doute des images et des suggestions venues des média à la parole apparemment libre : c'est que les média sont devenus eux-mêmes une nouvelle instance, résultant de ce développement technologique dans lequel l'homme s'est engagé en fermant les yeux. D'autres réponses renvoient à des mythes naissants, à des images encore imprécises, génératrices d'ultérieurs symboles, encore inédits. La manière dont les groupes qui composent la société française résolvent leurs relations avec les grandes instances défie la généralisation — ou le moralisme !

Du moins cherche-t-on à atteindre cette expérience qui n'a pas trouvé encore ses concepts ou sa formalisation. Comme le disait le philosophe Husserl : « C'est l'expérience, muette encore, qu'il s'agit d'amener à l'expression de son propre sens. » C'est en tout cas la voie sur laquelle nous nous sommes engagés...

J.D.

NOTE TECHNIQUE

Avec *Les tabous des Français*, nous achevons un cycle commencé avec *La planète des jeunes* [1] et continué par *La banque des rêves* [2] : une tentative d'ethnologie de nos contemporains.

Les moyens avec lesquels on explore la vie collective commandent sans doute l'objet qu'on découvre : les sondages et autres investigations quantitatives placent les hommes et les femmes dans la situation d'objets et les idées dans celle de la lessive ou du chocolat. Le genre d'analyse que nous adoptons tente d'atteindre l'expérience dans ses formes diffuses et contradictoires. Nous optons donc à la fois pour de longues conversations dirigées et pour diverses études microscopiques disséminées dans tout le pays...

Notre démarche, souvent imitée plus ou moins habilement, se développe en quatre étapes :

Une évaluation statistique de la répartition des personnes que l'on souhaite interroger, suivant la région, le sexe, l'âge, la profession.

L'élaboration d'un questionnaire ou plutôt d'un guide de conversation aux rubriques diverses et disposées de telle sorte qu'elles évitent au répondeur de cristalliser son « opinion » et lui permettent d'exprimer des pensées jamais

1. J.-P. Corbeau et J. Duvignaud, Stock, 1975.
2. Françoise et J. Duvignaud, J.-P. Corbeau, Payot, 1979.

encore formulées. Les entretiens auxquels donnent lieu ces questionnaires sont forcément assez longs : la plupart des demandes sont, comme on dit, « ouvertes », c'est-à-dire libres.

Un dépouillement qui permet d'étaler sur la surface d'une table ou d'un plancher les thèmes découpés dans la totalité des réponses. En fait, il s'agit du moment essentiel de l'analyse, puisque l'on franchit alors la frontière qui sépare le « diachronique » du « *synchronique* » — ce qui est dévoilé dans la durée de l'enquête est ainsi projeté dans l'espace, offert au regard de l'analyste qui découpe et établit des corrélations insoupçonnables quand on additionne des opinions partielles. Ainsi, la parole individuelle, nécessairement vague et confuse, se recompose en thèmes communs, comparables ou opposables.

A partir de ces corrélations ou de ces figures, il est possible de reconstituer la forme des attitudes, des assertions communes, bref, le dessin de cette pensée cachée sous l'apparence. Ce quatrième mouvement est une « reconstruction utopique » de l'expérience, et c'est la rédaction ou l'écriture du texte qui achève cette démarche. Si l'on reprend ici cette expression « reconstruction utopique » empruntée à Weber, c'est pour marquer le caractère hypothétique de l'analyse : toute explication est un pari...

Nous avons dépouillé 200 questionnaires remplis par des hommes et 240 par des femmes : il s'agit du tronc commun de l'enquête. Ces questions étaient « ouvertes », offrant aux enquêtés la possibilité de se livrer aux commentaires qu'ils souhaitaient, généralement importants. Nous avons parfois repris des questions comparables au sein de thèmes différents afin de saisir si les réponses seraient identiques, alors que la méfiance, toujours inévitable, qui accompagne le début de l'entretien s'était éteinte. La moyenne de durée de notre long questionnaire était d'environ une heure et demie...

Parallèlement à ce questionnaire auquel ont répondu des agriculteurs, des étudiants, des artisans, des commerçants, des employés, des intellectuels, des patrons, des cadres, des professions libérales ou des retraités de catégories socio-professionnelles diverses, nous avons réalisé 30 interviews totalement non directives qui constituent de véritables « tranches de vie ». Cela nous a permis de disposer, pour la « reconstruction utopique », d'un réservoir de citations afin d'illustrer les attitudes qui émergeaient pendant le dépouillement. Il est nécessaire de noter aussi que nous n'avons retenu de ces réponses, pour nos citations intégrées au texte, que celles que justifiait une fréquence notable et, en tout cas, celles qui paraissaient les plus claires...

A cette double investigation s'ajoutent diverses enquêtes entreprises par nos collaborateurs du Laboratoire de Sociologie de la Connaissance et d'Anthropologie sociale, enquêtes de microsociologie spécifiques.

Ainsi, pour la mort, 180 questionnaires ont été réalisés en milieu rural et 50 personnes ont été interrogées sur les « pompes funèbres » et le devenir du corps après le décès. Pour la religion, 30 entretiens ont permis d'affiner les attitudes qui émergeaient de notre étude synchronique. Pour la sexualité, 60 questionnaires ouverts ont été proposés à de jeunes employés, ouvriers, agriculteurs et étudiants ; 20 autres personnes dont l'âge se situait entre 25 et 45 ans étaient interrogées en milieu urbain.

100 questionnaires supplémentaires dont les rubriques étaient « fermées » et 50 entretiens avec des femmes de milieux ruraux ou de catégories sociales modestes ont été réalisés pour l'examen des pratiques alimentaires. Enfin, pour le travail, 40 interviews adjacents à l'enquête

générale nous ont permis de proposer une nécessaire phénoménologie, afin de dépasser la vision des sondages. 60 questionnaires relatifs aux mass média et aux loisirs ont permis de mieux appréhender de nouvelles attitudes devant le temps libre. Pour conclure, 20 questionnaires nous ont fourni des renseignements qualitatifs à propos de la politique...

Au total plus de 1 000 personnes réparties sur toute la surface du pays ont répondu à nos questions. On y ajoutera les nombreuses notes prises pendant ces deux années au cours de conversations ou au cours d'observations particulières.

On nous objectera peut-être de n'avoir obéi à aucune des lois de la statistique : il est vrai que nous n'avons jamais éprouvé le désir de réaliser un « panel » complet et exhaustif de la société française contemporaine et qu'à la fidèle reproduction en pourcentages de la population, nous avons préféré opter pour celles des personnes dont la parole avait un sens. Il s'est agi simplement de voir figurer toutes les catégories d'âge, socio-professionnelles, les ruraux, les urbains, les hommes, les femmes...

Nos collaborateurs du Laboratoire de Sociologie de la Connaissance, alors installé à l'université de Tours et aujourd'hui à Paris VII : Mme Françoise Maillet, Mme Marie-Paule Dornel, Mlle Mireille Carrère, MM. Nacerddine Sari, André Sas, Pierre Bonnin ont participé à l'enquête générale.

Les enquêtes particulières ont été menées par Mlles Evelyne Frémont, Mmes et Mlles Jocelyne Quinio, Nadège Gautrat, Lise Cailleteau, Claudine Leblanc, Germaine Lussat, Andrée Julien, par MM. Gouthi Kriss, Pascal Lhuillery, Philippe Delasne, Christian Metay, Daniel Inizan, Philippe Damerval, Alain Moreau, Pierre Chaussois, Bertrand Beneval.

I

LA MORT, MÊME...

Que s'est-il passé ? Voici une vingtaine d'années, lors d'une semblable enquête sur la mort, les Français répondaient en s'abritant derrière des « idées reçues ». Aujourd'hui, face à de comparables questions, émergent des idées plus variées, plus nuancées, inquiètes même. Une inquiétude mal définie. On dirait qu'un flux métaphysique informulé balaie les profondeurs du pays...

Bien entendu, certains réagissent avec indignation : ils ne veulent pas entendre parler de la mort. Ce sont, pour la plupart, des militants politiques : « Ce genre de problème nous affaiblit », assure un enseignant de Paris. Ou bien « ce ne sont pas des questions pour des communistes » (employé du Centre). « Nous n'avons rien à faire avec ça », pense un étudiant du Nord.

Il en va un peu comme de notre enquête sur le rêve, lorsque les artisans et les commerçants expédiaient avec véhémence nos enquêteurs qui venaient les questionner sur leur vie onirique : on fuit ce qui tourmente... Mais aujourd'hui, cependant, après quelque surprise, la population interrogée, en tout lieu et dans toute classe, s'étend avec abondance sur la mort. Parfois même avec complaisance. Le sujet ne s'abriterait-il plus derrière des « tabous » archaïques ou traditionnels ? La télévision ou les mass média auraient-ils désacralisé la mort ?

Une infirmière du Centre (22 ans) dit même en riant et comme préambule à de plus longues réponses : « C'est con, ces questions, ça vous oblige à examiner des choses auxquelles on n'aime pas penser. » D'autres aussi s'insurgent apparemment contre une interrogation à propos de laquelle ils ont beaucoup à dire en fin de compte. Comme s'il existait une méditation tacite ou secrète qui ne trouvait jamais l'occasion de se manifester.

La peur du vide

La peur de la mort, d'abord... Elle n'est pas aussi générale qu'on pourrait le croire. Certes, 25 % des hommes et plus de 40 % des femmes avouent leur crainte, mais 55 % des hommes et 72 % des femmes assurent qu'ils ne la redoutent pas. Seuls, 3 hommes et 13 femmes interrogés affirment n'y penser jamais quand tous les autres assurent y trouver une préoccupation constante, pour les autres et pour eux-mêmes...

Est-ce la mort organique ? Cette femme, professeur dans le Centre (40 ans), c'est du néant qu'elle redoute l'agression, ou ce programmeur d'entreprise qui s'efforce de n'y pas songer, parce que l'idée en désorganise le système sur lequel il a construit son existence. Ou cette employée de 22 ans (Centre) : « Oui, sincèrement, j'ai peur de la mort, mais pas tant de la mort que de ce qu'il y a après. Oui, c'est l'après seulement qui me fait peur, pas la mort. » Et cette animatrice, employée dans un village du Centre : « J'ai tellement peur d'être sous terre ! Pas du fait de mourir. » Un adjoint d'éducation en Bretagne (24 ans) parle d'une « peur panique » ou plutôt « d'une inquiétude devant une question sans réponse : y penser ne veut pas dire avoir des pensées morbides ». Un autre employé de la région de Saint-Étienne dit : « Reste que la mort demeure une chose abstraite, un néant d'être, la négation absolue, l'inaction. » Il estime « qu'elle devrait avoir cela de bien qu'elle est absolue, mais elle ne peut pas l'être complètement. Reste les questions qu'elle cache. »

Curieusement, cette angoisse devant l'anéantissement se retrouve chez des paysans et des ouvriers, surtout dans les régions méridionales de la France. On y parle évidemment de la douleur de l'agonie, mais surtout de ce « vide que, peut-être, il y a derrière tout ça » (Sud-Ouest), de l'impression de « froid et de gel que je sens d'avance » (Sud-Est), ou de la « maladie qui se continuerait après la mort » (Bretagne). Une femme de brocanteur (31 ans, Centre) évoque « la finalité de ma personne, mais je chasse cette pensée et je la refuse ».

Ceux qui s'affirment « indifférents » projettent le choc de la mort sur les autres ou sur les accidents qui peuvent l'entraîner. Ainsi ce pêcheur breton (30 ans) : « Peur de la mort ! Étant donné que j'y suis presque passé, c'est particulier. Ce n'est pas spécialement la peur de la mort, mais la peur du danger qui pourrait entraîner la mort, oui. » Ou ce professeur de l'Ouest (31 ans) qui pense que « la mort est quelque chose de naturel, mais j'en ai peur dans la mesure où je pense aux conséquences que cela peut avoir pour ma famille ; j'ai perdu mon père quand j'avais vingt ans et cela m'a beaucoup marqué. Je pense que ce sera un peu pareil pour mes gosses. La mort entraîne une rupture d'équilibre familial qui est, à mon avis, néfaste. » On peut aussi postuler une indifférence stoïque ou s'accrocher à quelque organisation ou entreprise : « Je pense que la mort, ce sera terrible pour le petit atelier que j'ai et pour les compagnons qui travaillent avec moi, dans la mesure où j'ai seulement une fille qui ne pourra pas me remplacer parce qu'elle est mariée à un instituteur » (artisan, Sud-Est). « Moi, je m'en fous, dit ce fermier du Centre, mais je pense à l'exploitation et ce sera fini. »

Curieusement, et tout à l'opposé des idées reçues, la peur physique et organique de la mort s'accompagne de l'anxiété de l'« après », alors que l'indifférence à la matérialité de la décomposition mortuaire (qui s'accompagnait autrefois d'une adhésion à une foi religieuse organisée réglementant l'au-delà) paraît manifester d'une sorte de confiance dans ce qui peut suivre la destruction : « J'ai peur, oui, de la mort, mais je sais qu'il s'agit seulement d'un passage et que tous les nerfs s'effondrent, refusent de sentir ; seulement ce qui m'inquiète, c'est ce qui se cache derrière ce truc » (paysan, Centre). Ou bien : « La mort, ce n'est rien, un simple choc, et tout s'arrête. Purement matériel. Pourtant, qu'est-ce qu'il y a derrière tout ça ? » (étudiant, Paris). Ou encore : « Je tombe, je me casse la gueule. Bien. C'est fini. Dans une certaine mesure, je m'en fous, mais je ne me fous pas de ce qu'il peut y avoir après » (employé, Ouest).

Pratiques et fantasmes

La mort n'est pas seulement un mot, si chargé soit-il de connotations : la représentation de notre propre vie est impliquée dans les attitudes que nous adoptons vis-à-vis de notre propre anéantissement. Il est frappant, par exemple, de constater qu'une indifférence complète quant à la survie n'entraîne pas une égale insouciance vis-à-vis du traitement que peut subir le cadavre, son propre cadavre...

Or, les hommes, depuis qu'ils ont traité les morts en hommes, et non en ordures ménagères, n'ont point inventé de moyens divers de traiter le cadavre : inhumation, crémation, momification... Il s'agit toujours de séparer les « parties molles » qui sont aussi les parties nobles, celles de la sensation et de la pensée, des « parties dures » qui sont les os et que l'on conserve. Nous ne pouvons savoir ce qui décide un peuple ou une culture à opter pour l'une ou l'autre de ces manipulations funéraires, mais on peut constater combien ces procédés mettent en branle aujourd'hui et dans toutes les classes, des émotions et des passions.

Certes, des religions se sont constituées, comme le christianisme, autour de la pratique du pourrissement, moment d'une métamorphose promise par la résurrection de la chair. D'autres croyances ont fait de la métempsychose le moteur de toute escatologie. Le cannibalisme même n'est pas étranger à cette transformation des « parties molles ». Il est rare que la mort soit acceptée comme une chimie inévitable, une « analyse naturelle », disait Hegel.

Cette projection dans les mythes d'une culture est indépendante de l'idée de survie : elle renvoie à une pratique funéraire spécifique qu'il est impossible de généraliser. De toute manière les habitudes de la crémation et de l'inhumation se sont superposées comme se sont mêlées les cultures nomades ou sédentaires.

Nous ne savons rien de la conservation de ces pratiques funéraires, mis à part le respect des rites, transmis de génération en génération ou des légendes et des mythes qui les représentent. Il est douteux que les Français que nous avons questionnés participent d'une manière ou d'une autre à une « mémoire macabre » en dehors des convictions religieuses qui les représentent. Des idéologies diverses sont d'ailleurs apparues au siècle dernier qui revendiquaient contre le christianisme et au nom de l'athéisme, la crémation du corps. Il est d'autant plus curieux que l'on fasse aujourd'hui des réponses passionnées à la question de savoir si l'on sera brûlé ou enterré, si l'on accepte le pourrissement ou si l'on demande au feu ou à quelque autre procédé de l'empêcher.

« Je ne suis indifférent à rien, la survie ne m'intéresse pas, mais je ne peux pas ne pas éprouver quelque chose de bizarre quand on me demande si je veux être brûlé ou enterré : je ne sais pas, il y a là quelque chose que je ne connais pas et qui agit », dit cet instituteur non croyant du Centre. Contradictions saisissantes : des athées qui affirment péremptoirement « qu'ils s'en foutent » ou que « peu importe ce qui arrive après », se montrent presque tous effrayés par l'idée d'« être mangés par les vers ».

Voici cette animatrice sociale de 29 ans (village du Centre) : « Je ne sais pas. Effectivement, pourquoi ne pas brûler les gens ? Pourquoi non ? Je pense que c'est dû à la religion, parce que l'enterrement, c'est la mise du corps dans la terre, et, de ce fait, l'âme peut partir ailleurs. » Plus tard, la même personne ajoute : « Au fond, ça ne me dit rien de me faire enterrer : j'aimerais mieux me donner à la science, mais c'est une obligation pour les miens d'aller au cimetière, et puis je ne veux pas être brûlée parce que je suis croyante. » Ou cette étudiante mariée qui habite un village de la région de Poitiers : « Je pense que les gens sont enterrés par mesure d'hygiène, parce que les autres doivent se souvenir d'eux et que le souvenir ne doit pas être abstrait et qu'il faut avoir une matérialisation dans un lieu. Bien sûr, l'incinération, oui, mais elle coûte trop cher. »

Une étudiante (fille d'ouvriers d'un petit bourg du Centre) pense que « tout cela est un luxe : embaumer, incinérer et même mettre dans un cercueil qui est pesant et cher ; j'ai peur de ne plus penser, de perdre mon corps, de ne plus être avec les autres ». Plus pratique, un commerçant de 33 ans (ville moyenne) estime « qu'il faut se débarrasser du corps et pour le moment la solution idéale est de le mettre sous terre : puisqu'il n'a plus rien à faire sur terre, autant le mettre dessous ». Il pense aussi qu'il vaudrait mieux se « faire incinérer ou donner son corps à la science pour un prélèvement d'organe, pour des analyses ou même pour servir de cobaye pour tester des voitures : on peut tout faire avec un cadavre ».

Une femme de gendarme (Sud) pense « qu'il n'y a pas d'autre solution que l'enterrement au cimetière : je suis croyante et je ne peux pas être brûlée, puisque la religion catholique l'interdit, mais je le tolère, bien que je ne croie pas que l'âme puisse s'échapper des cendres. D'ailleurs, je ne veux pas non plus donner mon corps à la médecine, et je ne veux pas servir de cobaye... D'ailleurs, c'est le fait d'être dans la terre qui est important : c'est sacré la terre, afin que l'âme puisse s'échapper. » Plus résignée est cette commerçante (28 ans, 2 enfants, ville moyenne) : « Je crois que j'irai dans le trou comme tout le monde et je ne veux pas donner mon corps à la science pour servir de cobaye. J'ai vu une émission à la télé comme quoi les cascadeurs se servent de cadavres pour simuler des accidents : quelle horreur de mourir deux fois dans un accident ! Je veux aller dans le trou, car je crois que je vais devenir un petit oiseau... On a l'habitude d'enterrer les gens et c'est une coutume comme une autre. Et puis je pense que cela doit avoir une origine religieuse : le retour à la terre. Brûler est interdit par la religion : on doit retourner à la poussière... »

Tout à l'inverse, cette étudiante de 24 ans, habitante d'une petite ville du Centre estime que « de toute façon, on n'a pas le choix et qu'on doit redevenir poussière, que le corps n'est pas ce qui est le plus important car il n'est qu'une enveloppe pour servir à faire un voyage déterminé dans le temps. Donc, j'aimerais que mon corps soit brûlé... Pour la religion, brûler, ça équivaut à un sacrilège et cela aboutit à une excommunication. Il y a plein de tabous religieux et autrefois on brûlait les sorcières, car le feu, c'est Satan. Au fond, les mesures d'hygiène ne sont pas déterminantes. Quand on enterre, c'est que la terre est noble — le retour à la terre, aux sources : on sait qu'on a enterré un cadavre. C'est une façon de ne pas accepter la mort que d'enterrer quelqu'un dans un lieu précis. C'est qu'on n'accepte pas la séparation ; c'est une sorte de possession ; on veut s'approprier un morceau de terre pour conserver tous les siens : une concession à perpétuité. Inhumés, gardés près de soi. On conserve un morceau de quelqu'un... Moi, je veux garder ma mort jusqu'au bout, et je veux que mon corps soit tout seul. Mais chez des peuples qu'on dit sauvages, il y a une sorte de grande dignité dans la mort. Chez les Indiens, on met le corps sur une sorte de toile et on attend qu'il se décompose tout seul. Ou bien les mourants vont mourir à l'écart. L'oubli du défunt est total »...

Même idée de l'inhumation chez ce cadre de banque de 32 ans (grande ville du Centre) : « Quand on enterre, les gens ont l'impression qu'on perpétue le souvenir des morts, plus encore quand on les embaume. Dans le cimetière, les autres ont le sentiment de les posséder encore et de se les remémorer. Les gens de Paris penseraient autrement sans doute que les gens de la campagne. Mais l'enterrement n'est pas le plus rationnel car cela tient trop de place et l'incinération est bien plus rationnelle. Il y a des mythes qui sont à l'origine de tout cela. »

Ce commerçant de 45 ans (Midi) assure « s'en foutre », mais souhaite être incinéré ou du moins préférerait l'être, « précisément parce qu'il s'en fout ! ». Même idée chez un employé de 25 ans (Bretagne) qui pense que « ça n'a pas d'importance, mais qu'il préférerait être incinéré ». Ou chez cet ouvrier du Nord qui pense « qu'il n'y a plus de place dans les cimetières et qu'il vaut mieux mettre ses restes dans une petite boîte dont on fera ce qu'on voudra. Il y a une histoire de gens en Italie qui avaient reçu un colis d'Amérique avec une poudre noire qu'ils ont mis dans la soupe. Et c'étaient les cendres de la grand-mère morte à New York ou ailleurs. C'est une belle fin : bouffé par la famille... »

« Ça m'est égal, dit cette infirmière (22 ans, mariée, 2 enfants, Centre), c'est la première fois que je me pose la question. Incinérée, c'est cher. Mais bouffée par les vers, quelle horreur... Je m'en fous, mais pas complètement. Les vers... » Et ce pêcheur breton assure « que c'est tout pareil, pour lui. Si les autres gens veulent qu'il soit inhumé, il sera inhumé, et il n'y peut rien ! ». Au contraire, ce travailleur social (42 ans, région parisienne) « préfère être inhumé parce que l'incinération, c'est la destruction totale et immédiate, inadmissible... Cela vient peut-être d'une éducation religieuse trop forte. Mais décider de ça, c'est morbide, c'est la négation de la réalité : je ferai comme tout le monde, l'inhumation, pour ne plus en parler ! »

Quant à cet employé de commerce de 36 ans, il s'efforce « de ne pas penser à cela », mais l'idée de pourrir lui fait horreur et « il s'efforce de ne pas y penser ». Et cet employé communal (29 ans, Sud-Est) croit qu'il n'a pas à réfléchir « à la sorte de mort qui permettrait de retourner le plus simplement à la nature, à la racine des fleurs et du chiendent : c'est une question qui touche à l'agriculture, en somme ! » Ou bien cet employé (45 ans, Nord) : « Il faut retrouver la terre et tous les autres hommes et femmes qui ont avant moi franchi ce pas... Il y a une sorte de fraternité, sans doute, et qu'on ne peut pas trouver si l'on n'a plus de forme. »

Plus positif, un cadre moyen (région parisienne) « ne veut pas de ces usines-cimetières de banlieue et se fera enterrer à la campagne, dans la famille de sa femme en Auvergne où l'on se sent plus en accord avec les arbres, la nature, etc. » Cette écologie mortuaire, on la trouve d'une manière très fréquente, surtout chez les moins de 30 ans. « Je me ferais bien immerger comme les marins, parce que l'eau, c'est tout de même un élément, ça aussi », dit cet étudiant (Est). Même une femme de 65 ans, célibataire et vivant dans une campagne de l'Ouest est prête à situer

Dieu sous la terre : « Oui, ça m'attire parfois de penser que tout ce qu'on est, dans la terre, revient au créateur comme ça, par ce moyen. »

Nombreux sont les fantasmes qui enveloppent la simple question de l'inhumation et de la crémation : on y retrouve les éléments d'une doctrine de la métempsychose, autant que le vieux panthéisme. Y retrouve-t-on aussi l'idée de la résurrection de la chair ?

C'est un thème enfoui dans la mémoire collective par des siècles de christianisme et d'enseignement religieux, par la sculpture ou la peinture. Mais c'est en grande partie un thème oublié : « Je ne sais rien de cette résurrection de la chair et ça m'énerve d'en entendre parler parce que je ne crois pas aux histoires des curés... La résurrection trois jours après la mort. Remarquez : c'est une bonne solution et je voudrais bien y croire. Dans un sens, les croyants ont moins peur de la mort que moi, puisqu'on revient ensuite à quelque chose de vivant, enfin pour ceux qui n'ont pas commis de fautes » (employée, 23 ans, Centre). « Le surnaturel avant, le surnaturel après... Au fond ce que je voudrais, moi, c'est que ça continue tout le temps, la vie... »

Une femme de 33 ans, artisan en Bretagne, « ne croit pas, mais pas du tout à la résurrection de la chair, mais elle n'a aucune preuve à donner que ça n'existe pas... ». Elle répugne cependant à l'idée de penser que son corps peut pourrir et être mangé aux vers. Une infirmière de 33 ans (Ouest) voudrait « que tout cela soit vrai, parce qu'elle souhaite que la vie ne s'arrête jamais ». Et un paysan du Centre (45 ans) estime que la vie « ne s'arrête jamais et qu'il y a sans doute une chose qui ne meurt pas : ce n'est pas l'âme, c'est autre chose. Difficile à dire, comme si un mouvement continuait. Résurrection ou pas, il doit y avoir un truc éternel et la science d'ailleurs en parle. Pourquoi ça ne serait pas la vie justement ? Les émissions de télévision en parlent parfois avec des savants. »

Cette « éternité », on la retrouve sous d'autres formes, chez ces employés du Centre qui tous deux estiment que « le monde ne peut pas s'arrêter avec eux et qu'eux-mêmes, puisqu'ils sont dans le monde, continuent avec lui ». L'un d'eux ajoute même : « Pas forcément sous la même forme. » Une émission récente à la télévision a dû marquer cette population d'enquêtés en 1980 parce que la plupart se réfèrent à ce qu'ils ont cru devoir y comprendre : « La vie c'est éternel, ça se reproduit d'un être à l'autre et ça continue dans le sperme, paraît-il, ou dans les germes : on sera peut-être des microbes. Peut-être que les microbes qui attaquent le cadavre sont la forme que prend notre vie. »

Et ceux-là mêmes qui ont postulé avec véhémence qu'« ils se moquaient de ce que devenait leur corps », répugnent à l'image du pourrissement sans partager cette « idée » de l'éternité par les microbes ou les vers. La crémation ne les satisfait pas davantage « justement parce qu'il y a quelque chose de permanent et qui ne s'en va pas en fumée » (employé, Est, 30 ans). Identique préoccupation chez cette femme d'ébéniste (Midi) qui pense que « ses enfants portent la continuité de son corps et qu'elle vivra à travers eux. Il est possible que les hommes meurent complètement, mais nous, peut-être, nous avons cette supériorité de continuer après notre mort avec la chair de notre chair. »

« J'avoue que l'éternité me tente plus que la mort, assure ce cadre moyen du Midi (50 ans), parce que l'éternité ça peut s'expliquer par tous les mouvements de la matière tandis que l'anéantissement, ce n'est pas raisonnable. » Ou bien cet étudiant de Paris : « Moi je crois que je ne mourrai pas, enfin, que tout ne finira pas avec la tombe et que je continuerai à vivre, mais sous une autre forme. » Le même a assuré au début de l'entretien qu'il était indifférent à la survie. « Il y a quelque chose de plus que la mort », affirme un employé de commerce (Est) qui, par ailleurs, se déclare « complètement athée [1] ».

Les fantasmes s'accrochent à la vulgarisation scientifique diffusée par des magazines plus ou moins scientifiques, des « révélations » faites par des journaux ou par des émissions de télévision. « Mon corps, qu'est-ce que c'est, je le pince et c'est tout. Mais ce que je tâte comme ça, comment ça peut-il disparaître d'un coup et un jour ou l'autre, après être passé au cimetière, retrouver tout ce qu'il était ? Ce n'est pas la résurrection qui est importante, d'abord parce que c'est un dogme et que je n'y crois pas, ensuite parce qu'il s'agit d'une destruction suivie de recomposition, et c'est absurde. Pourquoi ne pas croire que la matière se conserve ? » (enseignant, 30 ans, Midi).

Une personne du troisième âge, habitant une maison de retraite (Centre) estime « qu'on survit par ses rêves et par ce qu'elle rêve, elle est sûre de ne pas perdre le fil de la vie ». Elle avoue sa peur de la mort et de l'anéantissement, mais croit « que son rêve — et elle rêve souvent — est le trait qui l'unit à d'autres rêves et que cela continue après ». Le rêve, chez un jeune homme (étudiant, Paris) joue un autre rôle : « Les trucs que je vois en dormant sont le plus souvent effrayants, et je crains que ces rêves ne continuent après la mort, que je ne sois plus que ça, des cauchemars, comme si ce qu'on voyait en rêve était une sorte de vérité qu'on atteignait seulement de cette façon. » Il estime également que « c'est la seule chose qui l'obsède, et j'y pense toujours parce que si je vois ces trucs, c'est qu'ils existent quelque part et ce quelque part c'est bien plus grave que les histoires de résurrection ».

La peur, on la retrouve partout, fût-elle compensée par la foi, même lorsque cette foi est explicite : on dirait

1. On trouve cette obsession de l'éternité dans le livre bien connu d'Edgar Morin, *L'homme et la mort dans l'histoire*, Le Seuil.

que le sacré ne canalise plus l'archaïque anxiété devant l'au-delà ou l'« après ». « C'est l'après qui m'inquiète, dit cet employé du Midi (40 ans) : j'ai vu mourir mon père et je ne sais pas pourquoi, je me suis dit qu'il avait peur. Je comprends ça. C'est le vide qui fait peur. Le vide, c'est bien autre chose que leurs histoires de résurrection... » Ce terme de « vide » reparaît chez des hommes et des femmes, surtout des jeunes, presque tous engagés dans la vie active.

« La mort, c'est rien, c'est ce qui vient après qui compte. Je ne crois pas aux trucs de l'Église, ni d'aucune autre Église, parce qu'elles disent toutes la même chose : on te console, sois sage et bon... Elles nous prennent pour des enfants. On ne m'aura pas avec des gâteries. Ni la résurrection, ni la survie sous cette forme ou une autre... » (femme d'ouvrier, Est, 30 ans). Et même cette paysanne du Centre parle du « rien » qui l'effraie : « Je ne sais pas ce qu'on trouve (...). Je vais comme tout le monde aux enterrements et même à l'église et ça ne marche plus. Je n'entends plus ce qu'ils disent les curés. Je sais bien que ce n'est pas comme ça, et qu'on trouve peut-être un trou noir et qu'on tombe, tout le temps... » Dans un village du Centre où s'est installée dans un château une secte de Khrishna, une femme qui les voit passer de temps à autre s'étonne : « Ils font des gestes et des tas de rites. Je ne comprends rien, mais je me dis qu'ils font tout ça parce qu'ils ont peur de ce qui vient après. »

La peur, donc [1]. Pas une peur précise. Pas celle de la mort atomique qu'on considère avec scepticisme : « Mourir tout seul ou avec tout le monde, c'est pareil ! » (ouvrier, Est) ; ou « si ça doit péter avec la bombe atomique, eh bien, ça pétera : qu'est-ce que ça change pour moi si un

---

1. On pense au livre de Jean Delumeau : *La peur en Occident*, Fayard, 1978. Mais les sources de l'effroi ne sont plus celles du XIVe siècle...

dirigeant est assez stupide pour appuyer sur la pédale ? » (employé de commerce, Midi). Un ouvrier retraité et malade (53 ans, Centre) pense, lui aussi, « que ça ne changera rien et qu'il faut s'arranger avec ce qu'il y a : au fond les idées qu'on se fait viennent de la peur. La mort générale, la mort atomique, qu'est-ce que ça change à la peur que j'éprouve, moi ? »...

Voici une trentaine d'années, la peur atomique était formulée avec une précision exaspérée. S'est-elle, depuis, émoussée ? S'est-on accoutumé à vivre sous la menace ? L'idéologie de la dissuasion a-t-elle persuadé tout un chacun que l'on ne pouvait recourir à cette arme ? Ou bien, l'image télévisée a-t-elle, comme le pensait Mc Luhan, affaibli les réactions de peur que la radio, « média chaud », grandissait ? Cette anxiété n'affecte qu'un petit nombre de personnes interrogées — intellectuels ou politiques pour la plupart — et c'est une peur « reconstruite » plus qu'éprouvée.

On ne peut dire si l'approche du second millénaire entraînera une crainte de l'apocalypse destructeur comme l'a fait le premier, même si les conditions d'une destruction réelle de l'espèce humaine paraissent mieux remplies qu'au moment de l'An Mil. On constate surtout qu'à la généralité de l'anéantissement collectif réplique une peur individuelle qui explose dans une série de cauchemars ou de fantasmes mêlant les idées de diverses religions. On rencontre une sorte d'« égotisme » de la mort.

Cela vient-il de ce que l'homme d'aujourd'hui, en France, tente d'établir un droit de regard et de possession sur cette part de son être qu'il abandonnait autrefois aux cultes, aux lois naturelles, à la nation ? Ce « soi » que l'on protège. Et cela explique aussi que l'on ne rencontre plus guère l'idée du dévouement national ou guerrier ni cette indifférence à la mort que devrait entraîner l'adhésion aux « grandes causes ». Mais on voit partout émerger cette curieuse revendication d'un droit sur tout l'être que l'on est — y compris celui qui vous échappe par la mort. Et cela même si l'on n'accorde pas au « moi » la valeur que l'on reconnaissait autrefois à l'« âme ».

Les lieux de la mort

Une vague indifférence apparaît quand on questionne les hommes et les femmes sur le lieu de leur propre tombe. Mis à part un tiers des gens du troisième âge et la plupart des paysans âgés, 30 % des personnes questionnées ne se soucient pas de savoir où elles seront enterrées, si un nombre égal — surtout des femmes — désire en connaître l'emplacement et surtout le choisir.

Certes, les jeunes s'affirment hostiles à cette idée : « J'attendrai d'avoir 70 ans pour y penser, avant ça m'est égal » (employé, 25 ans). Une employée (25 ans, Centre) « espère qu'on prendra soin de son corps, qu'on ne lui mettra pas une vieille chemise, parce que, morte, je veux être décente, mais pour le lieu, ça m'est égal et si je meurs à 5 000 km d'ici, inutile de me ramener ici ».

« La cérémonie, l'emplacement du cimetière, dit cette ouvrière de 50 ans (Centre), c'est une affaire entre les gens qui restent : ça ne sert pas à grand-chose d'y penser puisqu'ils vont faire de vous ce qu'ils voudront. Mais je ne voudrais pas qu'il n'y ait rien, même si ça m'est égal d'être mise après ici ou là. » On se désintéresse de l'emplacement de sa propre tombe et personne ne souhaite qu'on vienne lui apporter des fleurs au cimetière. Mais on attache au contraire une importance bien plus grande — et plus neuve — à cette sorte de « convivialité de la mort » qui veut que l'« instant fatal » se déroule au milieu d'un groupe d'amis, de camarades ou de parents.

Ce pêcheur (Ouest) assure qu'« une belle mort, c'est quand même de mourir avec les siens autour de soi ». Des ouvriers du Midi et des fonctionnaires de l'Est s'expriment en termes presque identiques : « L'endroit, qu'est-ce que ça peut faire ? L'important est qu'au moment où l'on passe, on soit avec des amis. » Ou cette paysanne (35 ans, Centre) : « Mon père est mort à la guerre quand il était prisonnier. Il est mort tout seul dans une infirmerie. Moi, je voudrais mourir avec la famille avec moi, autour de moi. » Ou cet étudiant (Ouest) : « Je n'y pense pas trop, c'est vrai, mais quand j'y pense, je songe que ce serait mieux que ça se passe avec les copains, comme une sorte de fête. » « Je ne veux pas que mon corps soit découpé ; je ne veux pas, si possible, qu'il y ait une tombe, mais ce que je veux, c'est mourir avec tous ceux avec qui j'ai de bons rapports d'affection » (professeur, Centre).

« La cérémonie, oui, ça ne sert à rien ; elle devrait avoir lieu avant, au moment où on meurt, chez soi, pas dans une clinique. Avec la famille et les amis... Là ça serait une belle mort » (infirmière, Ouest). Un employé communal du Sud-Est montre le même souci : « S'il y a une gêne, c'est vis-à-vis du lieu et de toutes les cérémonies qu'on ne choisit pas puisqu'on fait de vous ce qu'on veut, il n'y a pas de doute, c'est à la maison avec les parents et les amis que ça doit être le mieux, puisqu'il faut y passer un jour... »

Quant au cimetière, il perd semble-t-il de son prestige. Le mélange des vivants et des morts dans un lieu fréquenté ne gêne apparemment personne. Y retrouve-t-on cette indifférence attestée par Ph. Ariès pour le Moyen Age, lorsque les tombes n'étaient pas exclues de la cité et étaient pour ainsi dire confondues avec l'activité journalière [1] ? : « Non, qu'il soit où il veut le cimetière,

1. *Essais sur l'histoire de la mort en occident*, Le Seuil, 1975.

là-bas ou sous mes pieds, voilà qui m'est égal. A Paris, et peut-être ici aussi à Lille, les souterrains sont pleins de vieux cadavres ou de squelettes parce qu'on s'en est servi comme cimetières autrefois ou qu'on y a jeté les os des cimetières pour y construire des maisons. On n'y pense pas. C'est un endroit comme un autre, un dépôt d'ordures, un jardin public où malheureusement les enfants n'ont pas le droit de jouer. Ils peuvent bien être mis où ils veulent, les morts, dans la rue, dans les églises, autour des maisons. Ils sont morts et je serai mort, moi aussi. C'est tout » (employé du Nord, 45 ans).

Le cimetière n'est qu'un « lieu de rencontre pour les quelques vieilles femmes de la campagne qui n'ont que ça pour se distraire » (employé, Est). « J'y suis allée une ou deux fois et ça ne m'a rien fait » (étudiante, Paris). Elle ajoute qu'il s'agissait des « cimetières parisiens qui sont des sortes de garage ».

« Se souvenir ? Qu'est-ce que ça veut dire ? Est-ce que ça me fera quelque chose qu'on se souvienne ? Le cimetière, et après ? Et si on me brûle, où ira-t-on me chercher ? Il paraît qu'un type a demandé qu'un jour ses cendres soient dispersées d'avion au-dessus de Paris. C'est très bien, indépendamment du fait que les gens vont te bouffer ou te respirer... » (professeur, Midi). Ou bien : « Les cimetières, c'est comme les monuments aux morts, il n'y a personne dessous, enfin personne de vivant et on vient faire des politesses devant ça, comme si les morts pouvaient en savoir quelque chose » (employé, Ouest). Et cette préparatrice (Paris) : « Les tombes ? Les cimetières ? Les gens, c'est en moi que je les ai : je me souviens, c'est ma mémoire, le reste, c'est rien... »

Plus lyrique ou littéraire, un professeur (Ouest) fréquente les cimetières « parce que je lis les noms sur les tombes et j'imagine des tas de vies différentes. Il paraît que Balzac prenait le nom de ses personnages au Père-

Lachaise. Pour moi c'est un lieu où l'on se raconte des tas d'histoires. » Et, plus simplement, cet ouvrier de l'Est y voit « une zone de calme que je traverse parfois quand je reviens du travail : là au moins on a la paix et l'immobilier ne s'en occupera pas... ». Cet ancien combattant passe parfois devant le monument de ses camarades tués à la guerre : « Je pense à eux, oui, je me demande ce qu'ils feraient ou pas, mais rien de plus. Un petit jeu, quoi ! »

La seule raison qui justifie que l'on connaisse le lieu de sa propre tombe est la crainte de laisser un doute sur sa propre disparition. Projection d'un fantasme : celui du disparu qu'on croit mort et qui revient bel et bien un jour — sujet de films ou de romans, voire de vaudevilles. « Je ne voudrais pas, dit cette infirmière (22 ans, Centre), qu'on ne retrouve jamais mon corps après un accident d'avion ou autre chose, très loin de chez moi. Pas pour moi, mais pour les autres qui doivent recommencer leur vie, prendre des dispositions, etc. » Ou bien cet artisan du Sud-Ouest qui a eu autrefois un accident de voiture en Espagne : « Qu'est-ce qui se serait passé si la voiture était tombée dans le ravin et que j'avais bel et bien disparu ? Une vraie salade dans mes affaires. Disparu, plus de corps... »

« Il paraît, dit cet étudiant de Paris, qu'il y a tous les ans des centaines de disparitions et la police ne donne pas de suite parce qu'on ne sait rien. Ça doit arriver, l'histoire du type qui fait de mauvaises affaires, qui disparaît corps et biens et il n'y a pas de suites... Moi, de toute façon, je préfère qu'on me retrouve, pas parce que je veux une tombe, mais parce que je veux que ce soit bien fini. » Ou cette paysanne de l'Est : « On n'a jamais retrouvé le corps de mon oncle après l'autre guerre et ça a fait d'énormes histoires pendant des années. Oui, il vaut mieux retrouver le corps. »

Les « rentiers de la mort »

L'interrogation sur la mort cristallise soudainement, au cours de l'entretien, des pensées vagues, jusque-là mal formulées, qui trouvent une oreille pour se manifester. Et d'abord celle-ci qui porte sur ce qu'un étudiant de Paris appelle « les rentiers de la mort » : l'organisation économique des Pompes funèbres.

Sur ce point, le « consensus » est complet. Pas une seule personne interrogée n'approuve le système actuel de ce qu'un ouvrier (Est) nomme le « commerce mortuaire ». Les adjectifs se succèdent : « sordide », « dégueulasse », « inhumain », « résultat d'une société capitaliste qui rentabilise même la mort », etc.

« Dégueulasse, mais obligatoire », dit une infirmière. « On est bien forcé de passer par ces gens-là : on ne va pas, nous-même, faire ce travail », constate un ouvrier (Centre). Même avis souvent répété, surtout dans la région parisienne où l'on ajoute qu'« il devrait s'agir d'un service public presque gratuit, en tout cas au juste prix, mais le même pour tous et au même prix pour tous ». Cette femme, travailleur social dans un village du Centre, s'indigne des inégalités : « Les gens qui ont de grosses maisons ont de grosses tombes. On veut afficher sa position sociale jusque dans la mort et c'est ça qui entretient le système des Pompes funèbres. Il devrait y avoir une certaine égalité dans la mort. » Une étudiante (employée dans une petite ville du Centre) explique : « Je crois que les Pompes funèbres sont un service commercial qui gèrent la mort au nom de la loi, et parce qu'on n'a pas le droit de s'enterrer n'importe où, dans un champ, dans une cour, et parce qu'il faut que le mort soit mis sous scellé, et creuser la tombe et tout le train... Il paraît que le service est mal fait d'ailleurs. On demande des pourboires : j'ai vu ça à la mort de ma mère. »

« Dans cette société, dit une lycéenne du Centre, il faut payer pour la naissance, pour la maladie, pour le mariage, pour la mort. Remarque, si tu ne paies pas aux privés, tu paies à l'État et ça revient au même. » Et ce professeur (Ouest) qui souhaite être inciné : « J'ai vu les prix, c'est hors de mes moyens. Plus cher que l'inhumation normale. On dit que c'est à cause du chauffage, du feu, du mazout, de je ne sais quoi. Les Grecs brûlaient sur des bûchers comme les Indiens. On te dira alors que le bois est cher, les écologistes râleront. De toute manière, dans mon coin, il n'y a pas de four et il faut d'abord transporter le corps : des frais en plus. »

Un commerçant (ville moyenne du Centre) est plus nuancé : « Les Pompes funèbres, c'est un service public et ça sert à se débarrasser de personnes qui n'ont plus rien à faire sur la terre. Il faut indemniser le personnel de ce genre. Un enterrement avec la T.V.A., ça revient dans les 2 000 F et en plus, il y a la qualité du bois, la poignée du cercueil. Il faut que ça paye. On paye. Je suis pour la concurrence, mais c'est la seule chose qui devrait échapper à la concurrence par respect pour le mort et pour sa famille. » Mais cette commerçante du Midi (40 ans), regrette « qu'on ne prenne pas soin soi-même du corps et qu'on le mette là ou on le peut, que la famille s'en occupe et qu'elle seule décide de ce qu'il y a à faire ».

Utopie sans doute mais qu'on trouve dans la plupart des réponses comme une sorte de projet consolateur : « On devrait laisser les amis, le quartier, la famille s'occuper du mort. Les amis ou les compagnons de travail. Enfin, les gens avec qui il a vécu ce mort. Ce devrait être à nous de nous occuper de nos parents ou de nos frères s'il leur arrive quelque chose. Ça se fait dans l'armée et dans l'Église où le mort appartient aux gens avec qui il a vécu. On l'interdit aux autres » (instituteur, Nord).

La vie, quelque part, ailleurs

On dirait que le mythe de la survie ou de l'immortalité, inséparable dans toutes les cultures de la conscience de la mort, s'est déplacé. Ou qu'il s'est transposé en dehors de l'homme dans la rêverie d'une vie sur d'autres planètes ou d'autres univers...

Ici, bien entendu, le rôle des fictions romanesques, cinématographiques ou télévisées, des journaux de vulgarisation et surtout de la bande dessinée — toutes les personnes questionnées de moins de 40 ans ont été formées par la B.D. ! — est d'autant plus considérable que la fiction et la « science » se mêlent inextricablement. Il est remarquable également de voir réapparaître avec force ce vieux « jugement ontologique » qui déduisait jadis l'existence de Dieu de la possibilité d'en concevoir l'idée : « Si on peut imaginer qu'elle se continue quelque part, la vie, alors pourquoi ce ne serait-il pas vrai ? » (viticulteur, Sud-Ouest).

Ce professeur (31 ans, Ouest), pourtant, se méfie : « J'ai lu des bouquins là-dessus, je ne sais pas trop... Je me méfie je suis un peu contre cette idée, et puis ma foi, si ça existe, pourquoi pas ? » Un pêcheur (Ouest) assure que « le problème le dépasse et dépasse tout le monde ». Et cet infirmier (Ouest) : « Oui bien sûr, peut-être, puisqu'on en parle : il n'y a pas de fumée sans feu, mais je n'y crois pas trop. » Ou ce paysan (Centre) : « On dit ça et on dit le contraire, ce n'est pas à moi de choisir. » Et cet instituteur s'amuse « de ces âneries qu'on voit dans la presse ou à la télévision... et ça décuple au moment ou les vrais problèmes sont sur terre : le chômage, la faim, l'énergie ». Il y voit autant de moyens d'endormir les gens ou de les détourner de la réalité. Un jeune chômeur du Midi ajoute : « Qu'est-ce que j'ai à foutre des autres planètes, quand sur celle-là on n'est pas capable de donner de quoi manger aux gens ? »

C'est avec enthousiasme (« Ah ! oui... ») qu'un graphiste de l'Ouest (38 ans) accueille cette idée. Comme l'accueille aussi un ingénieur du Nord qui y voit la justification des découvertes scientifiques : « Il est plus que certain que nous disposerons des appareils qui nous permettront de communiquer avec d'autres vies, même si elles n'ont pas la même forme que la nôtre. D'ailleurs, qui nous dit qu'une sorte de vie sous une autre forme ne nous observe pas déjà ? » « C'est sûr, évident qu'il existe de la vie sur d'autres planètes : et puis qu'est-ce que la vie ? Ça peut être n'importe quoi, la vie... » (programmeur d'entreprise, 25 ans, Centre). Un professeur (Centre) « espère qu'il y a d'autres êtres qui viendront et qui profiteront de ce que nous avons fait, des êtres en avant ou au-delà de notre évolution. On ne sait pas. Ces êtres existent déjà sans doute quelque part... »

L'assurance s'attache à la science — une science qui n'est jamais connue de première main et qui transforme les doutes hésitants ou prudents des savants (lorsqu'ils se manifestent publiquement) en certitudes : « Bien sûr, la science l'a prouvé depuis longtemps », assure un ouvrier de l'Est. D'ailleurs ses conceptions philosophiques le conduisent à cette évidence : « Quand on ne croit plus qu'il y a un Bon Dieu quelque part qui a créé le seul monde qui existe, on doit alors accepter qu'il y ait d'autres formes de vie partout où elle est possible. Je ne parle pas des étoiles brûlantes ou des soleils, mais d'autres planètes que nous ne pouvons pas voir et qui sont quelque part dans l'infini. » Un artisan du Sud-Est a longuement réfléchi à tout cela et est arrivé à la conclusion suivante : « Si l'infini existe comme disent les savants, alors on ne peut pas imaginer tout ce qu'il y a dans l'infini ni tout ce qui peut y être : c'est plutôt vaste, l'infini, et plus vaste en tout cas que nous et notre pensée, même notre science... Encore que la science soit le chemin qui conduise à ça. Alors, dans l'infini, la vie n'a pas de raison d'être absente. » Et l'argument ontologique prend forme chez cet étudiant de Paris : « Si je peux le penser, c'est donc que ça peut exister, non ? »

Curieusement, et parce que nous avions posé une question sur l'infini, ce sont ceux-là mêmes qui croient en l'existence de la vie sur d'autres planètes et dans le monde inconnu de l'espace sidéral qui se disent incapables de concevoir l'infini. « Inimaginable », dit le professeur pourtant si affirmatif quant à l'universalité de l'existence.

« Ça n'a pas de sens, et c'est pour cette raison que c'est l'infini », déclare un artisan. Et d'autres, employées ou paysannes, qui affirment sans autre explication qu'il existe de la vie hors de la terre, estiment « qu'on ne peut rien dire ni penser de cela ».

Cela. L'illimité qui ne s'accroche plus à des croyances religieuses, à des images mythiques et qui suppose une sorte de tête-à-tête de l'homme ou de la femme avec un problème dont ils pensent qu'il est sans solution. Comme s'il fallait emplir ce vide avec le mirage d'une vie qui ne serait pas un accident...

« Tu sais, dit cet employé dans une entreprise du Nord, c'est peut-être ça qui nous aide à comprendre tes questions sur la mort : si la mort est un vrai anéantissement, elle ne tue pas toute la vie en même temps. J'ai lu quelque part qu'elle ne pouvait pas disparaître et que la vie était toujours plus forte que la mort puisqu'il naît plus de gens qu'il n'en meurt. Et avec la médecine et l'hygiène, encore plus, il en naît et il en meurt moins. Alors, est-ce que ça ne veut pas dire que c'est ça ce que tu appelles l'infini ? Et si elle est infinie ici, pourquoi elle ne serait pas ailleurs ? » Raisonnement sans faille et qui protège sans doute contre le non-sens ou l'absurde, qui trouve dans le savoir vulgarisé de la science un point d'appui, comme on le voit chez cette infirmière du Midi qui semble avoir lu un livre sur les soucoupes volantes : « J'ai lu, quand j'étais plus jeune, que tout le monde pensait qu'il existait des soucoupes volantes ou des espèces de véhicules qui amenaient des bonshommes d'autres planètes en voyage sur la nôtre [1]. Celui qui avait écrit ça disait que ça fait partie de notre pensée à nous d'imaginer qu'il y avait des gens ailleurs, même s'il n'y en a pas. Comme de croire en un dieu ou en autre chose. Que nous étions faits comme ça »...

Donner sa vie

Il est un domaine où le tête-à-tête avec la mort fait apparaître des mentalités qui ne sont pas sans implications politiques ou sociales. Ainsi, rejoint-on cette part de l'enquête qui concerne les rapports de l'être avec sa dévotion à un idéal ou à une doctrine quelconque...

Faut-il reconnaître une sorte de désaffection pour l'héroïsme ou la sainteté ? Aucune des personnes interrogées, de tous les milieux, de tous les âges et de toutes les régions n'admettrait de sacrifier sa vie pour une idée. Il est vrai que cette question posée voici trente ans aurait suscité des réponses passionnées dans le climat d'héroïsme, sans doute artificiel, qui suivit la Seconde Guerre mondiale. Réponses sans doute également douteuses et réthoriques... Du moins, et cela confirme ce que nous avions noté dans *La planète des jeunes*, la foi religieuse et la foi civique ou politique ont-elles perdu de leur fascination et de leur prégnance. Ou bien, la vie est devenue un bien d'autant plus précieux qu'il ne s'épuise plus dans une transcendance historique ou sacrée...

« Donner sa vie pour une cause ?, dit cet employé de 25 ans (Ouest). Pas question ! C'est fini ce temps. J'admire

---

1. Sans doute le livre de C.G. Jung, *Un mythe moderne,* trad. en français, en 1961, coll. « Idées », Gallimard.

ceux qui le font, sans plus, mais pour moi... » Ou ce professeur (Centre) qui déclare : « Oui, si la cause en valait la peine, mais franchement, je n'en vois aucune : de toute manière, nous sommes roulés, alors il vaut mieux garder sa vie... » Ou cette infirmière (Centre) : « Mourir pour une cause ? Théoriquement oui, pratiquement, j'en suis incapable ! C'est une question con : je ne connais pas de cause de ce genre. » Ou cet ouvrier (Est) : « Dans une certaine mesure, oui, ce serait comme un accident du travail. Pourtant, je n'irai pas d'avance me jeter au devant des embêtements. » Tel paysan interrogé récuse le problème : « Les saints, les héros ? Je ne vois pas ce qui pourrait me pousser à ça » (vigneron, Centre). Faut-il rappeler que, dans des situations critiques, ces mêmes hommes sont aussi capables de faire ce qu'ils n'acceptent pas « à froid » et sont capables d'échanger leur vie contre une cause ?

Ce qui disparaît, d'ailleurs, c'est sans doute l'idée d'une cause absolue, religieuse ou politique qui éliminerait toute espèce d'hésitation ou de choix personnel. Même le militant déçu (employé, Ouest) nuance son scepticisme : « J'en ai tellement connus qui se sont faits désavouer ou qui ont été trompés. Mais je ne dis pas qu'il ne faut rien faire. Ce que je ne veux pas, c'est l'emballement inconditionnel. Il faut savoir vraiment ce qu'on échange. » « Il y a des saints et des martyrs de toutes les causes, ce n'est pas ça qui compte, de faire tuer un pauvre type qui a une foi aveugle ou de s'aveugler soi-même. C'est fini les guerres de religion : il faut discuter à chaque pas » (étudiant, Centre).

Il semble que la projection de soi dans un dogme ou une foi, une doctrine ou une idéologie ne se fasse plus de la même manière qu'il y a quelques années : la dévotion complète à une cause s'efface en même temps que l'image d'une cause unique et absolue, introduisant dans un monde devenu complexe, un manichéisme inacceptable. « La vie est une belle chose, je n'ai pas envie de la donner comme ça, pour une idée ; mais justement note bien que si la vie est elle-même en cause, je veux dire la mienne, mon genre de vie, alors je pense qu'on peut se battre et peut-être en crever » (enseignant, Sud, 30 ans). On prétend garder le contrôle de l'intégrité de sa personne, le « soi » devenu précieux « qui est le seul bien dont je dispose » (étudiant, Nord). On mesure alors ce que l'on fait à ce que l'on peut attendre d'un engagement qui n'est plus absolu.

Cette mort implique la torture, la torture subie. Une torture qui sous ses aspects les plus divers est devenue dans un grand nombre de pays une forme banale du contrôle social, presque une institution. On le sait par la presse et les média. « J'ai vu opérer et souffrir, dit cette infirmière (Paris) ; je sais ce qu'est la douleur et j'imagine ce que ça peut être la douleur qu'on reçoit sans que ce soit pour vous sauver ou vous guérir. La douleur comme celle-là, il faut l'éviter à tout prix : je ne sais pas ce que je ferais, moi... » Ou cet étudiant (Sud-Est) : « On vous traite comme une pierre, une bête, moi je ne sais pas du tout ce que ça représenterait pour moi. J'ai lu des livres de Malraux et ça m'arrive d'y penser. C'est un cauchemar. Comment peut-on supporter ça ? » « J'avoue que je ne sais pas ce que je ferais et si j'ai une conviction politique ou religieuse, il est impossible de dire ce qui se passerait pour moi » (journaliste, Midi).

« Elle est partout, la torture, en Irlande, à l'Est, en Amérique du Sud, dans les pays qu'on a aidés à se décoloniser... On vend des armes à ces gens-là. Comme si on ne savait pas. Et les gens sont arrêtés et torturés même sans savoir pourquoi, par principe : on t'arrête, on te torture. C'est pire que de l'être pour une cause, puisque tu ne sais même pas ce qu'on veut te faire dire ! De quoi devenir fou quand on y pense... Comme si Hitler avait gagné la guerre » (étudiant, Paris). « On voit ça à la télévision ou bien tu le lis dans les journaux, sans savoir que ça peut t'arriver un jour : alors tu te demandes si tu vas te terrer quelque part ou si tu vas te faire tuer tout de suite » (employé, Nord).

Bien des personnes interrogées refusent de répondre : certaines d'entre elles n'ont jamais pensé à la torture, d'autres ne veulent pas en parler « parce qu'elles ne savent pas ce qui se passerait alors ». Un peu chez tous, on retrouve ce besoin de conserver cette part de soi que les générations précédentes — non sans hypocrisie — vouaient à l'héroïsme ou à la sainteté. On doute surtout de la valeur des idées ou des causes capables de changer le monde : « Tu vois, j'ai cru, moi, qu'on pouvait se servir d'une sorte de levier pour casser toutes les saloperies qui existent autour de nous et qu'on allait faire une vie absolument nouvelle. J'étais prêt à me donner à cela. Je l'aurais fait, il y a dix ou quinze ans. Maintenant, je ne le veux plus. On dirait que ça ne me concerne plus. Non, ce n'est pas cela : je crois simplement que je suis sur la défensive et je pense qu'on peut mourir ou se laisser découper en morceaux seulement pour défendre ce qu'on est, mais pas d'aller au devant comme les petits soldats en pantalon rouge » (étudiant, Sud-Est).

Choisir sa mort

La mort, c'est aussi la maladie, le recours à la médecine. Ici, les attitudes se nuancent, bien plus qu'elles ne l'auraient fait une vingtaine d'années auparavant. Si, pour plus de 90 % des personnes interrogées, la médecine et l'hygiène ont fait reculer les frontières de la mort et ont accru les promesses de vie, l'on voit apparaître au cours des entretiens une attirance pour des thérapeutiques « naturelles » ou « traditionnelles ».

Le rationalisme médical est-il en cause ? En tout cas, il l'est davantage chez les hommes que chez les femmes, qui — dans une proportion de 80 % — font confiance à la médecine et surtout à la médecine préventive pour elles-mêmes et pour leurs enfants. « Je suis pour la médecine préventive, c'est la moins chère », assure cette employée du Centre et son avis est indéfiniment répété avec quelques nuances : « plus pratique », « moins aléatoire pour le diagnostic », « nécessaire pour savoir où l'on en est vis-à-vis des siens », « prudence contre les accidents mortels, curables quand ont les prend à temps ».

Certes, ces mêmes femmes ne formulent pas un avis catégorique : « C'est une bonne chose que la médecine et particulièrement la préventive, mais je ne suis pas pour la médecine qui conserve indéfiniment : si c'est fini, c'est fini » (femme brocanteur). « Il y a le destin, dit cette autre, infirmière, et c'est le destin qui fixe tout : l'espérance de vie est plus longue, mais on ne vit pas mieux pour cela. L'inquiétude est la même. » Ou cette ouvrière de Paris : « Oui, le dispensaire c'est une garantie : j'en profite comme les autres. Ma vie sera peut-être plus longue que celle de mon père : il est tombé d'un échafaudage et on l'a tout de même prolongé pendant dix ans... » Ou cette paysanne (Sud) : « Qui peut savoir ce que nous réserve l'avenir avec toutes les maladies nouvelles qu'on ne sait pas encore guérir ? »

Prévision qui inclut la rationalité économique comme le montre cette enquête parallèle effectuée auprès de 400 agriculteurs et agricultrices du Centre et de l'Ouest : ne s'agit-il pas de réduire les charges financières d'un décès ? La médecine préventive est ici fort bien admise par les femmes, alors que les hommes s'en méfient. Les femmes, évidemment, songent au dépistage du cancer, particulièrement celui du sein et aux maladies pulmonaires. D'ailleurs, s'il leur arrive d'être malades et de séjourner dans un hôpital, leur rôle de servante du groupe familial s'efface pour quelque temps : elles ne s'occupent que d'elles-mêmes et vivent ce traitement comme une sorte d'aventure...

Quant aux hommes, la prévention des maladies cardio-vasculaires ou du cancer du poumon suggère moins de rationalité : cette prévention n'entraîne-t-elle pas éventuellement restriction et ascétisme forcé, limites de pratiques inséparables de leur image d'homme, de leur virilité ? Aller chez le médecin lorsque « tout va bien », c'est courir le risque de changer ses habitudes, de se dévaloriser auprès des autres...

Mais d'autres agriculteurs se rattachent à la fausse rationalité d'un déterminisme héréditaire, négation de la mort accidentelle par maladie. Nombre d'entre eux — et surtout vis-à-vis des compagnies d'assurances —, se réfèrent à leurs ascendants pour prévoir leur mort : « Moi, je n'ai pas de problème et mon grand-père qui fumait comme un sapeur et buvait tous les matins son verre de goutte est mort à 85 ans, mon père a dans les 65 ans et il pète encore le feu... » Ou encore : « La ferme qui est à côté et les gens qui y sont, ce sont des clients pour le médecin et pour le croquemort : on ne devient pas vieux chez eux. Tous les hommes sont morts avant la cinquantaine. Le plus vieux en ce moment, il a 48 ans : à sa place je me ferais du souci ! »

Bien entendu la confiance en la rationalité médicale ne porte que sur les maladies organiques, et elle est plus grande chez les jeunes et les gens engagés dans des métiers manuels ou industriels que chez tel ou tel représentant des classes moyennes (employés, cadres ou enseignants) qui évoquent, comme une forme de la fatalité, la maladie mentale. Il est possible que la radio ainsi que la télévision aient joué un rôle important dans cette inquiétude : « Je ne sais pas, il y a aussi les maladies de l'esprit, le problème des enfants handicapés. Il y en a beaucoup. Bien plus qu'on le croit et qui ne sont pas tous déclarés. On les laisse aller. Qu'est-ce que la médecine peut sur eux ? Il y a les maisons spéciales, les traitements, mais allez voir si c'est suffisant » (institutrice, Midi). « Je connais une famille à côté d'ici (employée de commerce, Est) qui a un enfant mal venu comme on dit ; sans doute, comme on le croit ici, en raison des ascendances, car le grand-père était ivrogne. Il aurait fallu soigner à la naissance ou avant, je ne sais pas. Ou pratiquer la contraception. »

Cette « fatalité » de la maladie mentale constitue la limite de la confiance des femmes dans la rationalité médicale : « On ne peut rien contre ça, on soigne, c'est tout » (ouvrière, Nord). « Tu n'iras pas voir le rebouteux pour la folie et le médecin du coin, il n'y peut rien non plus. Si on ne veut pas l'enfermer, qu'est-ce qu'on peut faire ? » (paysanne du Midi). Une femme est violente : « Pourquoi les garder en naissant ? Le médecin devrait savoir ce qu'il a à faire en ce cas. Les progrès de la médecine te font garder un cadavre vivant pendant des années » (employée, Sud-Ouest). Ou bien, cette postière de l'Est : « Si le progrès consiste à maintenir en vie ceux qui n'ont plus leur tête, je ne vois pas ce que c'est que le progrès : moi, avant d'avoir mon gosse, je rêvais toutes les nuits qu'il avait trop de doigts et qu'il n'était pas comme les autres. Mais il aurait bien fallu que je le garde. »

C'est chez les hommes que l'on rencontre les attirances les plus fortes vers les médecines « naturelles », les traitements par les herbes ou par les pratiques dites traditionnelles. Sans doute ne trouve-t-on pas, comme chez les jeunes d'il y a quelques années, femmes et hommes, la fascination pour les régimes macrobiotiques, mais on constate que « l'exercice physique, la gymnastique, le sport peut éviter bien des recours au médecin » (étudiant, région parisienne) ; ou qu'« on ne peut tout de même pas donner son corps tout entier, comme ça, au diagnostic d'un seul type qui peut se tromper comme nous tous » (employé, 25 ans, Nord).

Là réside sans doute la nouveauté : il semble que ceux des hommes qui se déclarent attirés par les médecines « naturelles » diversifient les parties de leur corps. Ici, l'on aura recours au rebouteux ou au traitement par les herbes, là on s'en tirera par le sport, ailleurs on choisira le spécialiste pour les maladies organiques : « Un cancer, alors oui, on ira voir le médecin et on peut bien plus en ce moment qu'autrefois, mais pour les bobos, le reste, on peut se contenter d'un régime ou d'exercice. Et puis, si on se foule la cheville, il y a des rebouteux encore et en ville les kinésithérapeutes » (instituteur, Centre). « L'essentiel est de rester en forme, donc il ne faut pas voir trop souvent le médecin, mais je n'irai pas le voir nécessairement parce que je suis malade. Il y a d'autres moyens » (employé, Sud).

Une dizaine de personnes évoquent les troubles mentaux, les « complexes » et il est malaisé ici de faire la part entre les idées reçues par la radio ou la télévision et le savoir scientifique. Celles des femmes qui évoquent ces troubles pensent aux psychanalystes, mais ce sont des enseignantes ou des femmes de cadres, ceux des hommes qui en parlent ne définissent jamais la thérapeutique envisagée. La maladie mentale paraît rester une zone interdite dont on parle peu et qui est identifiée chez les uns et les autres à la fatalité. « D'ailleurs, dit ce commerçant du Centre, on n'en meurt pas : il paraît même que ça conserve. »

Toutes les personnes questionnées en tout cas considèrent la mort rapide et subite comme la meilleure et la plus souhaitable, à n'importe quel âge et dans n'importe quelle condition : « ... Ou je pourrais me tuer. Par exemple, moi, j'irais vers la mer et c'est peut-être romantique, mais ça veut dire quelque chose si l'on doit en finir » (étudiant, Paris).

Une assurance que l'on retrouve chez tous les moins de cinquante ans : on veut choisir sa mort. « Les cliniques avec leurs tubes, leur survie forcée, je n'en veux pas... Je ne veux pas être un cadavre encore vivant. Rien n'est plus stupide que la mort de Boumediene ou de Tito : on te conserve, on te garde. Note que ça ne m'arrivera pas parce que je ne suis pas important, mais ça arrive tous les jours que l'on garde les gens en demi-coma ou en demi-vie, comme ça, et que les médecins se sentent heureux quand ils t'ont conservé comme cela, pendant des jours et des jours » (employé, Sud). « La mort en clinique ? Non, je ne voudrais pas qu'on m'impose ça, et j'en ai vu qui respiraient seulement, les yeux fermés, avec des tubes partout, je ne veux pas de ça » (paysan, Centre). « Quand c'est le moment de venir, il faut que ça vienne et je ne veux pas qu'on me donne une survie qui est une mort que je n'ai pas voulue » (enseignante, Nord).

Un peu partout court cette revendication d'une mort personnelle : « Une pilule, oui, si j'ai une maladie mortelle : à quoi ça sert de conserver les gens ? » (ouvrier, Paris). « C'est ma mort que je veux, pas celle des autres, et je ne tiens pas à ce qu'on m'impose une mort que je n'ai pas choisie : il y a des médecins qui s'acharnent, et de leur point de vue, ils ont raison, ça fait partie de leur métier ; mais nous, alors, qu'est-ce qu'on est soi-même dans tout ça ? » (enseignante, Nord).

« Non, non, je veux ma mort à moi. » Ce cri d'une paysanne de 40 ans (accompagné d'un éclat de rire) cristallise la plupart des réponses : on revendique le droit à sa propre mort et l'opposition à la réanimation est presque générale. « Mourir dans une clinique, c'est fou, c'est abstrait, hygiénique et tout ce qu'on veut, mais on n'est plus ce qu'on est » (étudiante, Paris). Revendication qui s'accompagne parfois d'un droit au suicide et à cette « pilule » devenue une obsession magique et qui permettrait de disposer de son sort. Certes, ce suicide n'est réclamé que par des jeunes et seulement en cas de cancer, mais il exprime aussi cette volonté de conserver l'intégrité du « soi » [1].

La mort qu'on donne

La mort, c'est aussi la mort qu'on donne — par la violence individuelle, ou par délégation. Là, il faut admettre que les réponses sont brouillées et incertaines. On ne peut en déduire une attitude unique et claire : des nuances infinies enveloppent les termes de violence et de peine de mort. Nous voilà bien éloignés des sondages « pour » ou « contre ». Les hommes et les femmes ne se déterminent pas aussi sommairement. On s'explique, on discute...

Si tout un chacun récuse l'usage de la violence dans les rapports humains journaliers, la conversation prolongée fait émerger des appréciations plus nuancées au fur et à mesure que l'on s'éloigne des principes généraux ; ainsi, des exceptions sont partout faites pour la légitime défense, le meurtre des enfants ou (plus faiblement) pour la défense des biens et de la propriété...

« On est tous capables de tuer pour se défendre, assure ce marin (Ouest) ; oui, on peut tuer, tout le monde peut tuer pour se défendre. D'autre part, on peut aussi tuer quelqu'un, en étant déprimé, en vivant trop : la vie moderne, dans les grandes villes, c'est fréquent... » « Je ne pense jamais à cela, mais s'il fallait me défendre ou défendre les miens, c'est sûr, je tuerais. Ou je tuerais aussi si

1. On trouve quelque chose de cette exigence dans le beau livre de P.Viansson-Ponté et de L.Schwartzenberg, *Changer la mort*, Albin Michel, mais aussi dans les livres de L.V.Thomas ou de J.Ziegler.

j'assistais à une séance de torture ou à un viol, si la vie de mon fils était en danger » (infirmier, Ouest, 34 ans). « Tuer, je ne dis pas, dans certaines circonstances exceptionnelles en temps normal, si la vie de ma famille était en danger... » (professeur, Nord).

Un autre enseignant, engagé politiquement, pense que « la guerre ne cesse jamais, qu'il n'y a jamais de paix, mais qu'on devrait connaître exactement la nature de la menace qu'on reçoit ». Ou cet employé d'entreprise : « On peut comprendre ce qui se passe pour celui qui perd son contrôle, mais précipiter quelqu'un dans le néant, ça me paraît horrible. Je pense que je pourrais le faire, même si ça devait me coûter la peau, dans certaines circonstances précises : protéger mes enfants, ma famille, mais sans doute pas pour ma propre personne. »

Une attachée de direction (Est) n'envisage pas de tuer elle-même car « elle a une tendance au pardon », mais elle se déclare passionnément pour la vengeance en cas de meurtre « inexpiable ». Ou cette paysanne (Midi) qui « tuerait certainement si l'on doit défendre sa maison et ses enfants, parce que ceux qui attaquent sont généralement des pas grand-chose... » Ou cette institutrice (Sud-Ouest) qui a assisté près de chez elle à un crime crapuleux : « Je saurais me défendre s'il le fallait contre des voyous, par n'importe quel moyen — ceux qui attaquent les enfants ou les vieux. »

L'autodéfense est admise implicitement, mais avec nuance. Ainsi, ce commerçant (Midi) admet « qu'on peut tuer dans certaines circonstances, mais qu'il hésiterait pour sa part à tirer pour défendre sa boutique, sauf si la vie des siens était menacée ». Ou cet ouvrier de l'Est : « Une bonne correction, voilà ce que méritent les voyous, les alcooliques, les fous, mais moi, je ne tuerais pas. Je suppose que mon chien ferait l'affaire. » « Je ne sais pas ce que je ferais sous le coup de la colère, dit ce commerçant de Paris, il est possible que je fasse quelque chose, mais je ne suis pas un violent. »

Le recours à la force publique n'est pas récusé, il n'est pas considéré comme fiable : « C'est très beau, la police, mais avant qu'elle arrive, on sera tous morts ; s'il faut deux ou trois cadavres pour prouver la légitime défense, je trouve que c'est beaucoup. » Ou ce pharmacien du Sud-Est qui a déjà été cambriolé par des chercheurs de drogue : « Ça, tirer ? Jamais. Ce n'est pas à moi de défendre les produits interdits par la loi, c'est à la loi. Si la police n'est pas là, qu'ils prennent ce qu'ils veulent. Je ne vais pas me faire tuer ni risquer de tuer un voyou et d'aller en prison pour des trucs qui dépendent de la loi. » Et ce banlieusard de Paris qui fait écho à bien d'autres : « Je ne pense pas qu'il faut tuer, je pense qu'il faut se défendre. Seulement voilà, les cars de police, on les voit peu. Ils font ce qu'ils peuvent, mais ils ne peuvent être partout. »

On espère que la force publique servira de dissuasion, on s'en remet à elle pour la protection et, en même temps, on récuse son efficacité : « On dirait que le suspect, c'est celui qui vient d'être attaqué et on lui demande des comptes : ce n'est pourtant pas lui qui est entré dans sa propre maison » (commerçant, Paris). « Oui, la police, bien sûr ; ils viennent quand on les appelle, mais ils prennent du temps, et alors on a tout le temps d'être rossé et volé. Parfois, ils se font descendre, eux aussi, par des voyous, mais de toute manière, ils ne peuvent être partout, alors quoi ? » (artisan, Centre).

La valorisation du « soi » et de la vie privée se manifeste par une justification de l'autodéfense : on y recourt dans la mesure où l'on constate l'affaiblissement de l'État et de la force publique devant la multiplication des petites agressions. Les femmes de notables ou de cadres montrent la plus grande indignation : « Oui, dans la rue, en plein jour, on est protégées et on peut compter sur la police, mais la nuit, chez soi, est-ce que nous pouvons vraiment nous défendre ? » Ou bien, cette paysanne (Midi) : « Il y a eu des bandes par ici, et on couchait avec le fusil tout prêt contre le mur : on a trois gosses à défendre… »

On glisse, bien sûr, vers la question de la peine de mort. Là aussi, les nuances l'emportent sur les évidences simples. L'idée d'une délégation de la justice à une instance publique est aussi ambiguë que celle du recours à la police : « Oui et non… S'il s'agit d'enfants ou de vieillards… Oui et non, parce que les juges, qu'est-ce qu'ils savent de ce qui se passe réellement ? » (paysanne, Ouest). « Je ne sais pas que penser : d'un côté je suis pour, parce qu'il y a eu des morts innocents, et de l'autre, je sais bien que ça ne change rien et que le troc, l'œil pour œil, le dent pour dent, c'est plus de notre temps » (institutrice, Sud). Ou encore : « Oui, bien sûr, si l'on a tué un de mes gosses, je poursuivrais en justice jusqu'à ce que le salaud soit guillotiné, cela oui ; pour les autres, je ne sais pas : tous les crimes ne sont pas pareils » (employée, Paris).

Un enseignant de l'Ouest généralise : « La guerre des classes n'a jamais cessé ; contre l'agression permanente, il n'y a pas d'autre solution que la guerre. Seulement, c'est une agression sociale… Je n'aime pas la violence, mais ce sont les hommes qui l'ont installée sur terre ». Ou cet employé d'état civil (Est) : « Tout ça, c'est la violence publique, elle est justifiée puisque les gens qui l'exécutent sont au pouvoir. »

Les auteurs de cette enquête ne sont pas partisans de la peine de mort : ils constatent que la plupart des réponses, aujourd'hui en admettent le principe « essentiellement pour les assassinats d'enfants ou de vieillards, les crimes crapuleux » (pharmacien, Est). On ne fait pas confiance à l'État pour la prévention des crimes ni même pour la défense individuelle, mais on lui délègue son pouvoir de vengeance. Ambiguïté que l'on retrouvera plus tard...

« Je ne suis pas pour la peine de mort, dit cette infirmière du Centre, mais si on tue quelqu'un de ma famille ou mes enfants, j'irai tuer l'assassin s'il me tombe sous la main. Je n'aime pas que ce soit légal, mais je comprends l'envie de meurtre quand c'est quelqu'un qu'on aime qui est la victime. Je ferais moi-même une recherche de l'assassin, si c'était le cas, mais bien entendu, je distingue entre le meurtre d'un enfant et celui d'un adulte. » « Je suis contre la peine de mort surtout depuis que j'ai vu *Le pullover rouge*, mais je ne sais pas si je ne changerais pas d'avis dans le cas où l'un de mes proches serait tué lâchement : je n'admets pas le kidnapping suivi de la mort d'enfant... » (femme artisan, Centre).

Certes, un pourcentage notable se déclare inconditionnellement contre la peine de mort (40 %) mais tous font aussitôt des réserves : « Intellectuellement je suis contre la peine de mort qui me paraît un assassinat collectif ; il n'empêche que passionnellement, à chaud, si je devais décider de la vie ou de la mort d'un type qui aurait tué un être cher, je crois que je devrais appliquer la loi du talion » (ingénieur, 30 ans, Centre). Ou bien : « Je suis contre parce qu'il n'est pas démontré qu'elle ait une valeur d'exemple et ce n'est pas à notre avantage d'avoir institué la peine de mort puisque le règne animal l'ignore, mais je pense qu'il faut se débarrasser des individus malfaisants : peut-être par un traitement psychiatrique » (employé, Lyon).

Cette idée d'un traitement médical se retrouve souvent : « On devrait traiter ces gens-là d'une manière ou d'une autre... Je ne sais pas : le prévoir à l'avance. Il existe des moyens de rendre ces voyous doux comme des agneaux en faisant une opération au cerveau », dit cet instituteur qui avoue n'avoir jamais vu *Orange mécanique*. Élimination par traitement spécifique, la prison, l'éloignement (?) : « Autrefois, on avait les colonies et on y envoyait le surplus des salauds ou des idiots ; maintenant, on est enfermés les uns avec les autres » (instituteur retraité, Centre). « Il faut se débarrasser des individus nuisibles », assure ce paysan du Midi, par ailleurs fortement engagé dans la politique, une politique contraire à cette affirmation, mais il estime que « le personnage dangereux doit être éliminé dans l'intérêt même de la société ».

Certes, un enseignant assure que « ceux qui condamnent un individu à mort sont eux-mêmes des assassins puisqu'ils n'ont rien à voir avec le crime. Sur le vif, on est pour la mort d'un homme ; à froid, c'est autre chose. Avec les lenteurs de la justice, on fait toujours cela à froid et c'est ignoble... Dans une certaine mesure, je me demande si la vendetta ne serait pas plus morale. » Et cette idée de vengeance personnelle reparaît même chez ceux qui se disent opposés à la peine de mort, comme si la privatisation de la justice apparaissait comme une juste compensation aux pesanteurs judiciaires. « On tue, on attend des années un jugement, on est jugé par des gens qui ne savent rien de l'affaire et qui s'emballent sur les paroles de l'avocat général : on réchauffe quelque chose qui est tout froid. C'est ignoble. Il faudrait traiter à chaud ou ne rien faire du tout » (commerçant, Ouest). Et, plusieurs fois, le principe du jury est mis en cause autant que la lenteur judiciaire (universellement condamnée) : « Qu'est-ce que ça veut dire, ces gens tirés au sort qui viennent donner leur avis sur une chose qu'ils ne comprennent pas ? Ils me représentent, moi et les autres, dit-on. Il paraît que c'est de la démocratie. Mais est-ce que je vais m'en remettre au jugement de ces types ? » (instituteur, Est).

Ceux qui se déclarent contre la peine de mort ont tous moins de 40 ans et sont presque tous des hommes : « Je suis contre la peine de mort, dit cet agent de maîtrise (Centre), absolument contre : aucun être humain n'a le droit de vie et de mort sur son semblable, parce que toute vie humaine est sacrée, y compris celle des assassins. On ne devrait jamais disposer du droit de la détruire ni même du droit de grâce qui est une absurdité, et cela même au nom de la justice. Où est-elle la justice deux ou trois ans après le crime ? » Ou cet instituteur (Ouest) : « La peine de mort, c'est un arrangement de la loi du lynch, comme on l'appliquait dans le Far West. On peut se venger à chaud, jamais à froid ».

Faut-il noter que, passé 40 ans, les personnes interrogées montrent une propension plus grande à accepter la peine de mort et que les gens du troisième âge en admettent tous la nécessité, sauf quelques exceptions « intellectuelles ». Les femmes, plus que les hommes (60 à 70 %) en raison même du « meurtre des enfants ». Et pourtant, même lorsque l'on accepte ou que l'on souhaite cette délégation du droit de vengeance qu'est la peine de mort, plane toujours quelque part le fantôme nostalgique de la « vendetta », du « règlement de compte »...

Mort de soi, mort de l'autre... On constate une sorte de personnalisation, d'intimisation de la mort. Moins anonyme, moins abstraite, dirait-on, que lors d'une autre enquête, voici plus de vingt ans...

Il s'agit d'une privatisation qui s'accompagne d'une restauration du groupe familial ou amical où régnerait une communion qui permettrait d'accepter l'inévitable. On ne se préoccupe guère du lieu de sa tombe ni du rite qui accompagnera sa propre dépouille, mais bien davantage d'assurer jusqu'au bout l'intégrité d'un « soi » fait de chair et de sang que l'on aurait abandonné, sans trop y penser, autrefois, aux institutions, à un culte, à la nation. Le cérémonial, la solennité répugnent ; on leur préfère la compagnie chaleureuse et complice d'une sorte de « bulle » intime — ainsi faut-il comprendre l'horreur de la mort clinique : « La mort fait partie de ma vie », dit cet étudiant de Paris qui sait pourtant que 80 % des Français meurent en service médical, loin de chez eux, et qui revendique pour lui-même et ses amis le sort qui fut, après tout, celui de ses lointains ancêtres...

II

CROIRE...

Pourquoi demander aux gens s'ils adhèrent à un dogme, s'ils reconnaissent l'existence d'un Dieu ? La croyance déborde le culte comme le sacré déborde les religions. Il faut renverser les termes d'une équation admise sans critique et trouver d'abord la place qu'occupe, ou n'occupe pas, chez les uns et chez les autres, l'assentiment que l'on accorde à une image invérifiable de l'homme dans le monde...

Car une même attitude, une même « visée » sous-tend la logique métaphysique, le rationalisme ou le sentiment religieux : la part que l'on accorde d'incontrôlé ou d'incontrôlable est indépendante, semble-t-il, des constructions théologiques, mythologiques ou des postulations idéologiques. Chez certains, cette attitude peut aussi ne pas apparaître du tout. Du moins avons-nous voulu savoir quelle quantité d'invérifiable les Français d'aujourd'hui peuvent accepter...

Le besoin de croire

Un besoin de croire : la majorité des réponses en font acte. Maintenant ou autrefois. Un désir de croire qui a pris la forme religieuse mais, on le verra, aurait pu aussi ne pas la prendre. 60 % chez les hommes, 80 % chez les femmes...

« J'ai eu besoin de croire à un certain moment, je ne vois pas pourquoi... Peu importe les religions : c'était différent. D'ailleurs, toutes les religions se valent » (employé de commerce, 45 ans). Un étudiant assure que « ce n'est pas à cause du baptême qu'il s'est mis à avoir envie de croire à un certain moment de sa vie, mais voilà, c'est arrivé... Aujourd'hui, je ne sais plus trop : j'ai encore le temps d'y penser. » Et cette commerçante (Midi) : « J'ai été très malade après mon premier accouchement et j'ai cru y passer : pendant la convalescence, ça m'est venu d'avoir envie de croire en des choses comme ça, que je ne pouvais pas vérifier. Alors, j'allais déjà mieux. »

Une professeur (Centre, 40 ans) pense que la foi lui est venue d'un coup : « Quand j'étais petite, j'étais malheureuse, opprimée par mon père. L'intervention de la Sainte Vierge entrant par la fenêtre de ma chambre pour me protéger, j'y ai cru. Il a fallu que j'aie dix ou douze ans pour savoir que c'était un fantasme. » Un pêcheur (Ouest) estime « qu'il faut avoir une foi en quelque chose, même si c'est idiot pour des tas de gens ».

L'idée d'un « moment de croyance » perçu comme un choc subit revient souvent dans les réponses — même chez ceux qui, par la suite, sont devenus incroyants : « Ce trou que ça fait dans la vie. Après, on oublie ou simplement on se détache, mais tout de même, on s'en souvient » (artisan, Sud-Est). Un vigneron (Centre) rit en assurant « qu'il ne sait pas s'il a fait semblant ou non, mais qu'il s'est mis à croire, pas seulement pour faire plaisir à sa femme ».

Ces actes de foi ne se traduisent pas par une adhésion au dogme de l'Église ; ces croyances ne convergent pas nécessairement vers le Dieu des théologiens. Dans l'Ouest, deux femmes (50 ans) parlent d'un « saint patron, plus proche d'elles que ne l'est Jésus ». Dans le Centre de la France, se montre une foi errante qui s'attache à une imprécise définition de la chance, du malheur, du bonheur. Reste d'une magie opératoire latente ? Sans parler d'une diffuse croyance aux « esprits » qu'on trouve encore dans le Berri et dans l'Ouest.

Cela dit, la foi, simplement la foi, apparaît avec une fréquence notable : « J'ai commencé à croire quand je me suis mis à lire les évangiles, tout seul, presque en cachette quand j'avais 14 ans. On ne sait pas le chemin que l'on parcourt ainsi, mais il est certain que ça m'a amené à ce que je suis aujourd'hui » (curé, Est). Ou bien encore chez cet ouvrier catholique du Nord : « Je ne pense pas que ce soit mon éducation car, à l'époque, la religion ne tenait pas trop de place, ni la fréquentation des chapelles. Je pense que c'est venu lentement, par à-coups, les uns après les autres. Je ne fais pas de théologie ; simplement j'ai senti que le Christ s'était pour ainsi dire installé en nous ; je dis en nous parce qu'il n'est pas question de moi seul. Comme je suis typographe, j'ai eu sans doute une chance de lecture et de réflexion que n'avaient pas les autres. » « Si je n'avais eu que ma première communion pour arriver à la foi, ça n'aurait pas été très loin dit cette femme (35 ans, Paris) ; heureusement, il y a des chocs dans la vie et quand on sait en tirer ce qu'il faut, ils sont bénéfiques. »

Intéressant aussi de noter une indifférence générale chez les croyants pour le « marquage mystique », qu'est le baptême selon le mot d'un étudiant de Paris. « Si je n'avais eu que ce baptême dont, bien sûr, je ne me souviens pas, je pense que je n'aurais jamais cru ni adhéré à la foi » (employée, Centre). « Le baptême ? On n'a pas besoin de ça pour croire, ça éloignerait plutôt puisqu'on n'était pas libre de son choix » (femme d'ingénieur, Est). « C'est un rite obligatoire parce qu'on a des parents ou des grands-parents, qu'il faut faire plaisir à la tante ou à la grande sœur. Il se trouve que je suis catholique, mais ça n'a rien à voir avec le fait qu'on m'ait baptisé à la campagne. Je pense que la foi est d'abord un choix, un choix libre » (médecin, Sud).

Sont-ils anabaptistes ces croyants qui estiment qu'il faut avoir l'âge de raison pour choisir sa foi ? Et que les sacrements donnés dans l'inconscience n'ont aucune valeur aujourd'hui ? En tout cas la contre-épreuve est éclairante, car les incroyants et surtout ceux qui se sont, à un moment ou à un autre de leur vie, séparés de la foi dans laquelle ils étaient nés, sans le savoir, s'insurgent tous contre cette « violence » : « C'est une violence, et c'est une des choses qui m'ont séparé de tout ça, dès que j'ai pu réaliser qu'on m'avait fait chrétien sans que je l'ai demandé, sans que je l'ai voulu » (employé, Nord). « Je donnerai le choix à ma fille quand elle sera en âge de comprendre : je ne vois pas quel rapport il y a entre la goutte d'eau qu'on te verse sur la tête quand tu es à l'état de bébé et ce que peut représenter la foi pour certains. Est-ce que Pascal était chrétien parce qu'il avait été baptisé ou parce qu'il a voulu l'être à un certain moment ? » (instituteur, Paris). Un apprenti de 18 ans (Paris) conclut : « Si j'ai des enfants, je leur dirai quand ils auront l'âge d'y voir clair : tu seras arabe ou juif ou catholique, tout ce que tu voudras, mais moi, je n'aurai rien fait pour ça. » Et ce médecin (Sud) fait de la foi ou de l'incroyance « un choix, un choix qu'on ne peut faire qu'en toute conscience ». Un étudiant ajoute : « Le baptême, c'est le contraire de la liberté ; quand j'ai compris ça, je me suis détaché. »

On ne trouve pas chez les protestants les mêmes préoccupations : sans doute parce qu'une longue persécution les a écartés comme les juifs d'une institution séculaire et dogmatique — du moins jusqu'au concile de Vatican II. L'esprit de la Réforme n'est-il pas un esprit de libre examen ? « Nous avons appris à réfléchir parce que nous n'avions pas besoin d'intermédiaire pour croire », dit un étudiant (Paris). Pas une seule fois l'on ne voit apparaître ce « choc », cette « révélation » qui parfois ramène l'indifférent à l'Église.

« On ne peut vraiment parler de foi qu'au moment où l'homme ou la femme disposent de leur pleine raison : il faut un long apprentissage pour arriver à pratiquer le libre examen » (ingénieur, Ouest). « Oui, nous sommes de libres penseurs en un sens : parce que notre foi passe par le crible de la critique que nous faisons de nous-mêmes et de nos actes » (médecin, Sud-Est).

L'incroyance apparaît parfois et même souvent bien proche du « libre examen » : « Quand je me suis détaché, je n'ai pas eu à chercher beaucoup autour de moi. Nous avions cette habitude déjà de penser ainsi » (cadre, Paris). Il apparaît que ce passage à l'indifférence, toujours relative d'ailleurs, se fait pour ainsi dire sans choc, chez ceux des protestants qui avouent une indifférence sceptique. Est-ce vraiment une indifférence analogue à celle des catholiques ? On peut en douter. Non seulement parce que le libre examen n'établit pas une relation aussi affective ou sentimentale entre un médiateur comme le curé et le fidèle, mais aussi parce que les souvenirs d'une longue persécution sont encore vivaces.

Plus nuancées sont les attitudes des juifs, d'abord en raison de l'appartenance culturelle différente — juifs établis en France depuis des siècles, juifs venus de l'Est, juifs venus d'Afrique du Nord —, ensuite en raison même de la persécution raciale subie pendant des siècles : les conditions du massacre sont encore trop sensibles pour qu'on se détache complètement de la complicité affective ou intellectuelle.

Ici, la fréquentation n'a pas le même sens que pour les catholiques : elle est un élément du souvenir, un acte de participation à une culture qui a été menacée de mort : « Je n'ai plus ce qu'on appelle la foi, dit ce médecin de Paris, mais je vais à toutes les fêtes, même si je ne peux guère pratiquer le sabbat. » Ou cet étudiant (Paris) : « Ce n'est pas seulement une question de croyance : c'est aussi une affaire de relation avec des gens dispersés souvent aux quatre coins du monde, en Israël, en Pologne ou en Amérique, et c'est sans doute un moyen magique, je le reconnais, pour perpétuer une communauté au-delà de la dispersion. » « Même si je croyais, je ferais exactement ce que je fais : il me semble que tous ceux qui sont morts font la fête avec moi » (femme d'architecte, Est).

« Je ne crois pas que ce soit la foi en un dogme, tu peux bien l'imaginer, dit cet enseignant ; c'est plus que ça, une solidarité qu'on reconstitue malgré la distance, la mort, la dispersion. C'est en cela que nous sommes proches des Arabes qui font une prière qui les unit tous à la même heure aux quatre coins du monde. Nous n'avons jamais eu, comme vous, une institution solide et organisée presque militairement comme l'Église ; nous sommes des gens, de petits groupes disséminés un peu partout et qui ont réussi à survivre en raison même de la force intérieure de ces communautés. Pour l'État d'Israël, c'est autre chose... »

« Je crois que nous ne sommes vraiment, ni une religion seulement (je ne crois pas), ni une culture seulement, ni un État, ni même une minorité éternellement persécutée, mais vraiment, d'éternels critiques : une remise en question permanente, c'est un peu ce qui définit notre appartenance à ce qu'il faut bien appeler un mythe vivant et qui n'existe que par ses communautés. Vois un peu, nous avons remis en cause la physique avec Einstein, le cinéma avec Chaplin, la littérature avec Kafka, la psychologie avec Freud, et tout le reste. Il ne faut en tirer aucun orgueil. C'est sans doute inséparable du fait que nous sommes entrés dans la civilisation en ne cessant d'être une minorité que très tard, avec la révolution, mais que nous n'avons jamais cessé d'être une minorité inquiète » (écrivain, Paris).

En tout cas, une forme de foi semble avoir disparu et n'apparaît plus dans nos réponses — celle qui s'attachait au vieux radicalisme des années 1900. M.Homais paraît être entré au musée des antiquités...

Il est vrai qu'elle prenait le contrepied de rites religieux alors dominants et solidement arrimés au pouvoir d'État, la richesse et le dogmatisme — toutes choses peu à peu disparues de l'Église avec la dernière guerre. On le sait : faire une messe noire, c'est croire en la valeur de la messe, et les transgressions auxquelles se livraient les « libertins » du début du siècle, pâles successeurs de leurs devanciers du début du XVIIe, semblent être mortes avec l'absolutisme romain.

Le savoir scientifique qui fut, depuis Renan, un objet de culte et de croyance équivalent en son principe aux croyances religieuses, n'apparaît guère. Il est vrai que la science elle-même n'est plus ce positivisme exacerbé du siècle dernier et que la science ouvre plus d'abîmes que de certitudes. « On sait ce que peut la science, dit cet ingénieur de Paris, on en a vu les applications militaires, psychiatriques, biologiques. Mon laboratoire m'intéresse, mais il est plein de doutes. Je travaille là-dedans. Je suis indifférent en matière religieuse et j'ai des collègues qui ne le sont pas : la science d'aujourd'hui n'est pas l'opposé de la foi, elle est autre chose. » Ou bien, cet informaticien (Sud) : « On peut dire ça ou on peut dire autre chose. La croyance en Dieu n'a plus rien à voir avec la science, ou plutôt la science rend tout possible. Elle n'est pas pour ou contre Dieu et Dieu n'est pas pour ou contre elle. On choisit... »

Nulle part, nous n'avons rencontré cette brutale opposition du savoir et de la religion qui inspirait surtout des sujets d'examens ou de concours. Et même au niveau de la vulgarisation des sciences par les mass média ou la presse : l'autorité d'une découverte ne suffit pas à mobiliser une adhésion inconditionnelle, pas plus qu'un « miracle » ! Peut-être chez trois ou quatre personnes du troisième âge rencontrerait-on cette dichotomie. Ailleurs, elle s'efface.

« Je vais à l'église, je vois la télévision. On parle souvent de choses scientifiques, mais en définitive, c'est moi qui choisis », dit ce commerçant (Centre). Ou cet ouvrier du Nord : « Je ne crois pas, je regarde les mœurs des autres hommes, je compare, et je suis heureux qu'on m'apporte ça à domicile. Je n'ai pas à opposer les uns et les autres. La science, elle, nous apprend surtout à penser que les autres font les mêmes choses, mais autrement. » Ou bien : « Il se trouve que je suis croyant, je me tiens au courant de ce qui se passe dans le domaine scientifique, surtout dans la biologie qui me passionne. Je ne trouve pas de preuve du contraire de ce que je crois. » Ou enfin : « Je ne vois pas en quoi la raison qui me ferait croire en Dieu serait différente de celle qui me permettrait de suivre Einstein, ce sont deux choses différentes » (médecin, Paris).

Il faudrait un autre mot que celui de « relativisme » ou de « scepticisme » pour définir cette attitude. Elle correspond sans doute à une revendication en l'autonomie du jugement et à l'exigence d'un choix qui représente, semble-t-il, davantage la situation présente de l'homme vis-à-vis du savoir et de la foi que le respect d'un dogme. Et cela entraîne probablement cette tolérance qu'on retrouve un peu partout aujourd'hui, du moins en ce domaine. L'époque des guerres de religion ou celles du conflit entre la science et la foi paraissent révolues...

Croire, c'est aussi s'ouvrir à une perspective, sans doute incontrôlée et invérifiable, c'est aussi expérimenter une certaine image de l'infini. La mort nous y conduisait déjà, le sacré nous y fait pénétrer...

« L'infini est attirant : l'homme doit explorer cet infini. C'est sa tâche, c'est son devoir, que ce soit la religion ou la physique. Il doit aller dans le sens de son imagination même si autrefois la religion a bloqué les recherches en ce domaine », dit ce commerçant de 45 ans (Midi). Pourtant, ce recours à l'énergie commune des hommes, une infirmière (Centre) le conteste : « Je refuse l'infini, justement parce que je ne crois pas, enfin, je crois que c'est en dehors de mes possibilités. Qu'est-ce que j'ai à faire de savoir s'il y a des autres mondes ? Je pense que tout ce qui arrive dans le monde est un effet du hasard. Moi, personnellement, je ne crois ni à la religion ni à votre science : j'attends... »

Il est vrai que la vieille cohérence des logiciens paraît ne plus affecter le discours de nos contemporains. D'innombrables distorsions entre les images, les convictions, les actes de foi et les certitudes apparaissent qui s'enchevêtrent parfois confusément. Telle croyante catholique (Centre, 40 ans) assure : « Je n'ai pas d'imagination, et je ne veux pas en avoir. Je ne peux pas me représenter l'infini, j'ai donc tendance à penser qu'il n'existe pas. J'aime notre bonne terre... » Quand on la presse un peu, elle ajoute : « Ma foi chrétienne, c'est une sorte de déisme : il me semble que j'ai besoin de m'arrêter quelque part, à une forme, à une image... » Une autre, toute catholique qu'elle soit (femme de cadre, Paris) « aimerait croire que dans chaque arbre vit l'esprit de la forêt et ainsi à l'infini, de sorte que l'on y retrouverait Dieu ».

Une employée (35 ans, Sud-Est) assure qu'elle « voit la terre comme une petite boule perdue dans la masse et roulant dans une circulation infinie ». Elle qui, à 15 ans, voulait entrer au couvent « ne souhaite pas que l'on retrouve de la vie hors de la terre bien que ça ne dérange pas sa foi, parce que l'infini est sans doute dans la suite des générations humaines ». Un employé (Ouest, 40 ans) se représente l'infini « comme une masse noire, où il y a de nombreuses planètes, longue de milliards de kilomètres. On ne peut savoir où tout cela s'arrête... » Il pense aussi « qu'il existe une chose inconnue qui nous surveille sans que ce soit vraiment Dieu ». Un paysan (Ouest) assure : « Je ne peux pas imaginer que tout ne soit qu'une suite de hasards. Comment le hasard explique-t-il que je sois là en ce moment avec toi ? Si ce n'est pas le hasard, il faut que ce soit une force qui se renouvelle sans cesse. C'est l'infini, si on veut... » Un ingénieur (Sud-Ouest) constate « qu'il a cru au moment où il a imaginé ce qu'était l'infini, et ça ne pouvait être que Dieu ». « Mon père me disait que l'on pouvait imaginer l'infini si l'on pensait qu'un oiseau effleurait de son aile une planète énorme faite de diamant : quand cette masse serait usée par le frottement de l'aile, alors l'infini n'aurait pas encore commencé : ça peut conduire aussi bien à la foi qu'à autre chose, mais il y a là quelque chose qu'on ne peut expliquer simplement » (étudiant, Ouest).

Les non-croyants se représentent l'infini un peu dans les mêmes termes : « Même si la science a toujours raison et si l'on peut tenter d'investiguer dans l'infini, la science est une grosse lunette et il y a derrière les verres autre chose, je ne sais pas quoi... Dieu ou autre chose. Peut-être autre chose, parce que Dieu ce serait trop simple, depuis le temps qu'on y pense. Mais on ne peut pas se représenter cela, du moins pas pour le moment » (enseignant, Midi). « Il y a un infini et un seul, l'infini biologique, assure un cadre (Paris), l'infini biologique : on se reproduit à l'infini et c'est comme ça que l'on peut en avoir une vague image Nous, nous sommes bornés par la mort, mais la vie continue avant et après. Je vois ça comme le courant d'un fleuve qui prend tous ses affluents et s'en va vers la mer. Nous, nous allons vers la mer, mais on ne saura ce qu'elle est qu'au moment d'arriver. Alors, tout ce qu'on dit pour et contre Dieu, pour ou contre la connaissance, cela revient au même puisque nous ne saurons ce qu'il en est qu'à la fin, s'il y a une connaissance pour le voir et pour le dire... Ça devrait exister, même si ce n'est pas une personne comme Dieu. » Et il ajoute, superbe : « Je ne suis pas prêt d'arriver à la mer. »

Il est frappant de noter que plus de la moitié des personnes interrogées ne pensent pas que la vie se borne aux frontières de la mort. La plupart estiment que la pensée ou l'imagination permettent de « s'arracher à cette brève période qui, au fond, ne compte pas beaucoup quand on y pense vraiment » (étudiant, Paris). Or, si cet infini est concevable, il est certain qu'il existe : cette résurgence du vieil argument ontologique reparaît sous sa forme scolastique : si je puis concevoir les îles bienheureuses, ces îles existent certainement quelque part. C'est une part secrète dont on ne parle que rarement : « Tes questions, ça correspond à quelque chose à quoi je pense de temps en temps, mais il ne m'arrive jamais d'en parler avec les autres : il me semble que je serais ridicule si je me mettais à discuter de ça. Pourtant, c'est vrai que ça me travaille » (institutrice, Centre). Ou bien : « A l'école et même pendant mon passage à l'université, j'ai appris des choses, et ces choses, aujourd'hui, elles me servent à imaginer ce que ça peut être cette dimension qu'on ne peut pas imaginer et qui nous entoure de toutes parts... » (travailleur social, Ouest).

« Il me semble que je suis passé de l'infini que j'ai trouvé dans la religion à un autre, celui qui vient de l'histoire des hommes, une histoire sans fin et qui traverse toujours les mêmes phases, même si on nous dit que ça ne se répète jamais. C'est justement cette répétition qui m'inquiète, et c'est pour moi l'image que je me fais de l'infini. » Est-ce que cet architecte de Paris a lu Nietzsche ? A-t-il entendu parler de « l'éternel retour » ? Douteux. Il a retrouvé en somme ce que cette paysanne de l'Ouest dit de son côté : « Tout se répète, on ne voit pas autre chose que des choses déjà vues. Et comme ça, perpétuellement. »

Les non-croyants ne sont pas étrangers à cette idée, même s'ils la formulent autrement : « Moi, c'est la matière que je crois infinie, parce qu'elle engendre tout le temps des formes nouvelles et qu'elle est inépuisable » (étudiant, Est). Ou cet artisan potier du Midi : « Je ne crois en rien, enfin en aucune personne transcendante, comme on dit, mais ce dont je suis sûr, c'est que la vie s'écoule indéfiniment, et cela, ni la foi ni la science ne peuvent nous en donner une idée claire. C'est une sorte de révélation qui n'a rien à voir avec Dieu. » Un instituteur du Midi avoue : « J'ai un peu peur de penser à tout cela parce que ça vient au milieu de mes idées de tous les jours et, à ce moment, c'est une interruption : on dirait que je cesse de vivre. Mais c'est vrai que, si l'on fait abstraction du Dieu des gens qui croient, il y a vraiment quelque chose d'illimité qui n'est pas le monde, qui n'est pas Dieu, qui n'est pas non plus l'homme. Quoi ? Je n'en sais rien. »

La seule limite que reconnaissent croyants et incroyants à cette glissade dans l'infini, c'est l'image — image de Dieu, image de l'homme. L'important n'est sans doute pas dans l'acte que représente cette image, mais dans le besoin que l'on éprouve d'arrêter la réflexion à une forme tangible ou visible. Les Grecs, peut-être, ont-ils ainsi arrêté leur spéculation infinie avec l'élaboration de figures plastiques. Ce que nous appelons l'« art hellénique » n'est-il qu'un désir passionné d'arrêter la réflexion (qui par ailleurs continuait en Orient) à des figures personnalisées ? On dirait que l'on retrouve aujourd'hui, en France (mais cela ne concerne pas seulement la France) une semblable interruption plastique de l'infini.

« Moi, j'ai besoin de me représenter cet infini ou Dieu, comme vous voudrez, et je trouve exaltant que l'on ait placé entre nous et cet infini le visage du Christ : une personne qui n'est pas une personne seulement, mais qui est aussi une personne comme nous », dit cet enseignant de Paris. Ou cet écrivain qui estime que l'Occident a inventé la peinture parce que la libre coulée de la pensée vers l'infini était impossible : « On a placé l'image de Dieu sur l'orbite humaine : on a inventé la peinture... » « Si je crois, c'est parce que je me représente le Christ, et comment je me le représenterais, si je devais seulement imaginer qu'il est une force infinie ? » (architecte, Paris).

« Il faut s'arrêter de penser : l'infini n'est pas imaginable, alors, on s'arrête aux images », dit cet enseignant du Midi. Je sais bien que les Arabes, les Juifs ne se figurent jamais le visage de Dieu, mais pouvons-nous accepter, pour nous, cette sorte de vide ? Je ne le crois pas. Nous avons besoin de la personne du Christ, de nous identifier à elle, d'imaginer que cette personne nous sert d'intermédiaire avec ce que nous ne pouvons nous représenter. J'ai toujours cru que l'art avait une fonction religieuse, et même l'art cubiste : il s'agit de s'approcher toujours plus près de ce que nous ne pouvons concevoir par la pensée. »

Il est possible que les mass média et surtout la télévision aient joué un rôle important dans cette justification de la personne et de l'image. Le livre impliquait la réflexion abstraite et sans borne. La figuration devient un intermédiaire entre l'homme et Dieu comme le suggère cet architecte (Paris) qui cristallise nombre de réponses confuses ou vagues : « Je crois que l'habitude de voir des choses représentées par des images a changé notre image de la foi et de Dieu, comme elle a changé celle de l'architecture et de la poésie. Bien que je ne sois pas croyant, je comprends très bien qu'autour de moi, des amis qui font le même métier que moi le soient : l'image n'est pas seulement la copie de ce qu'on voit ou de ce qu'on pourrait voir, elle porte avec elle quelque chose d'autre que je ne peux pas définir comme ça. »

« Moi, je comprends très bien que Mc Luhan se soit entendu avec les théologiens et même avec le pape : dès l'instant où l'on croit que l'image est plus que l'image, qu'elle rassemble un village mondial, une communauté, on revient à ce qui était le principe de l'Église byzantine ou des orthodoxes et la figure de la personne renvoie à l'existence de Dieu » (enseignant, Paris). Une paysanne de l'Ouest tient un langage analogue : « Si on me représente une image qui donne Dieu, est-ce que Dieu est différent de ce que je vois ? » Ou cet employé catholique (Est) : « J'ai besoin que la croyance ne soit pas dans le vide et je ne sais pas ce que je ferais dans les religions qui ne représentent pas la personne de Dieu. Maintenant, on sait bien que voir le pape à la télévision au milieu des masses de gens qui sont autour de lui, c'est une forme de l'eucharistie. »

Culte et fréquentation

Mais voici une expérience du sacré qui se méfie des intercesseurs, et de surprenantes réponses concernent à la fois la fréquentation et le rôle des représentants du culte — sauf peut-être là où ces médiateurs du divin ont une moindre importance, comme chez les protestants.

« Je n'ai aucun rapport avec les gens d'Église et je ne vais que rarement à l'église, mais surtout dans les petites chapelles rurales où je me sens plus proche de Dieu, dit cette femme de commerçant (Sud). Je ne pense pas avoir besoin de cela pour croire et ils me bouchent plutôt l'horizon quand ils parlent. Là où je suis, je crois, et cela ne regarde que moi. » « Arabes, Juifs, chrétiens, c'est la même chose, s'il n'y avait pas les prêtres, il n'y aurait aucune différence. Notez qu'aujourd'hui les évêques ne vont plus dans de belles voitures : ils ont senti qu'ils ne pouvaient plus faire cela et ils se sont rapprochés de nous » (étudiant, Paris). Ou bien cet employé (Centre) : « Il y a des églises partout ici, tout autour. Je n'y entre pas ou presque pas. A vrai dire, je n'ai pas besoin de répéter des prières toutes faites : je suis chrétien et j'invente mes prières à moi. Je crois que si j'étais musulman, je ferais la même chose, circoncis ou pas. Ces choses-là appartiennent au passé et ça n'a pas d'importance. L'important est dans ce que je crois, le reste... »

Une femme regrette pourtant les curés d'autrefois « qu'on voyait dans la rue comme les soldats, mais maintenant tout le monde s'habille en jeans ou presque et on ne reconnaît plus ce que font les gens. Notez que mes enfants se moquent de moi quand je dis ça. Je suis d'une autre époque : la messe en latin, les curés en noir, les beaux enterrements, les chants... » Cette nostalgie du « génie du christianisme », on la trouve peu, mais on la rencontre surtout chez les femmes et, du moins dans nos réponses, surtout à Paris. Il ne s'agit pas toujours de gens âgés, puisque cet employé de banque de Paris (30 ans) pense lui aussi « qu'on a perdu beaucoup en liquidant tout cela » ; il songe surtout aux fêtes : « Je n'ai pas connu ces processions, mais je pense qu'il y avait là quelque chose : descendre dans la rue et marcher ensemble, chanter ensemble. Les politiques font ça et nous ne le faisons plus... »

En général, le médiateur du culte n'est bien perçu qu'au moment où il plonge lui-même dans la vie commune ; la majorité des croyants parlent des « prêtres ouvriers » ou des « curés populaires » avec faveur. Pour deux raisons, les autres médiateurs sont contestés : d'abord le fait qu'ils vivent d'une foi que les autres pratiqueraient, ensuite leur caractère de conseillers absolus, détenteurs d'une vérité incontrôlée.

« Je ne vois pas pourquoi il y aurait une division entre ceux qui prient comme moi, sans avoir besoin de personne et des gens qui seraient comme des médecins de la foi et viendraient me soigner » (enseignante, Paris). « Que veux-tu : on ne les voit pas beaucoup et c'est toujours dans des circonstances exceptionnelles. Pour croire, je n'ai pas besoin de gens qui font une profession de ce que je crois, moi, pendant que je travaille » (artisan, Est). « On ne leur demande pas de faire des miracles, on ne leur demande pas de donner des conseils, encore que parfois ce soit utile, on ne leur demande pas de faire des discours, mais de nous assister. J'en connais qui font très bien ça, mais il faut sans doute une formation spéciale qu'ils n'ont pas eue » (pharmacien, Sud-Est).

« Ceux qui font beaucoup, ce sont ceux qui travaillent avec nous, comme nous : j'en ai connu un qui faisait comme les ouvriers le même travail dans une usine. Je te prie de croire qu'il était entouré, pas seulement par les amateurs de football puisqu'il avait fait une équipe, mais par d'autres, jeunes comme moi. Il est parti, et depuis il n'y a rien » (cadre moyen, Centre). Le prestige du médiateur religieux enraciné dans la vie pratique est grandi, semble-t-il, par sa solitude et le respect qu'on peut avoir pour sa solitude. Une femme (40 ans, mariée, Ouest) parle de « ce curé que j'ai connu ici et qui n'était pas jeune puisqu'il avait été prisonnier pendant la guerre : mais on le voyait partout où il y avait quelque chose, accident, réunion, décès ou dans les fêtes. Toujours avec le sourire. Il travaillait avec les marins parce qu'il avait appris le métier autrefois. On ne voyait pas la différence d'avec les autres et, justement pour ça, on le plaignait un peu parce qu'il rentrait tout seul dans sa chambre le soir et ça ne devait pas être drôle ; il refusait nos invitations. On l'a beaucoup aimé ici. Depuis, ceux qui sont venus n'ont pas vraiment réussi. »

« Moi, je suis croyante, dit cette femme, infirmière dans le Centre, mais je trouve qu'il y a quelque chose de phallocrate dans ces gens qui viennent vous dire ce qu'il faut penser et ce qu'il faut faire. Je ne veux pas que l'on me dise comment il faut se comporter. » « Oui, ils sont utiles, on discute avec eux. En tout cas avec celui que nous avons, et ses avis sont bienvenus souvent. Pourtant, on ne peut pas oublier qu'il n'est pas tout à fait comme nous. Je ne vois pas ce qu'il perdrait à être marié par exemple » (ouvrier du Nord).

Il est malaisé de dire si les grandes distinctions établies par Gabriel Le Bras sont encore valables, si les croyants se regroupent en conformistes saisonniers, fidèles, chrétiens sans fréquentation, parce que nous n'examinons pas les seuls croyants mais la diversité de la société présente [1]. Ce qui apparaît surtout, c'est que la fréquentation religieuse est d'autant plus forte que le médiateur du culte sait réunir les croyants dans autant de groupes actifs ou de communautés vivantes ; tant à la campagne que dans les villes. « Le curé que nous avons, il sait comment arranger des fêtes ou des soirées, et il a même réussi à contrebalancer la télévision, ce n'est pas peu dire. Il ne prêche jamais comme ça, il participe à la vie et il donne même à ceux qui vont avec lui des idées de se regrouper et de faire des choses ensemble. Il a même fait des conférences avec des films sur la faim dans les pays d'Afrique. Il est engagé, oui, et c'est peut-être ça qui fait qu'on l'a adopté » (artisan, petite ville du Centre).

---

1. *Études de sociologie religieuse :* P.U.F. tomes I et II.

L'on retrouve ici cet attrait pour le petit groupe vivant mais occasionnel qui paraît donner à la foi des croyants une dynamique d'autant plus forte que l'on y partage en paroles la foi : « Je suis pour ces réunions : on y apprend toujours quelque chose. Des gens qui ne vont pas à l'Église se réunissent avec nous. De temps en temps, on pense qu'on est comme les premiers chrétiens. Entre nous, je dirai que ça vaut bien la messe et les solennités. »

Ces réunions, ces minuscules rassemblements sont souvent ainsi plus importants que les exigences cultuelles : « Toutes les religions ont les mêmes trucs, baptême, circoncision, carême, elles se valent toutes. Ce qui est particulier chez nous, c'est que nous nous réunissons pour mettre en pratique l'amour et l'aide à tous les hommes, y compris ceux qui ne sont pas croyants. Peut-être surtout pour ceux qui ne le sont pas ou qui ont une foi différente. Nous sommes les seuls à faire cela, et voilà ce que sont nos réunions » (employé, Est). Ou cette femme de cadre moyen (Nord) : « Il est probable que je ne serais plus vraiment chrétienne si je vivais seule, que j'allais seule à l'Église, etc. Mais il y a nos réunions, et c'est le plus important. » « Nous nous retrouvons tous comme dans une grande famille : il se passe quelque chose quand on se réunit, et c'est le plus important » (artisan, Centre).

D'ailleurs, il arrive de plus en plus fréquemment, surtout dans les villes moyennes ou dans les bourgades, qu'à la sortie de la messe dominicale, les fidèles se retrouvent autour du curé dans une salle quelconque pour parler, se connaître, envisager des actions communes au niveau de la paroisse ou du quartier. Le problème de la vérité du « consensus de la messe » autour duquel se retrouvaient certains militants chrétiens de 1968, semble bien éloigné des préoccupations actuelles : on l'a remplacé par la création de groupes hors de l'église, réunis grâce à elle, où l'on consomme en commun une intense solidarité...

Un idéal humanitaire

Parlera-t-on d'un sacré diffus qui imprégnerait la vie sociale française ? D'une généralisation de cette utopie qu'est la croyance ou de ce « pari » comme le dit un de nos enquêtés — acte qui accorde plus d'importance aux projections sur l'avenir, le non vécu, l'incertain sans doute mais qui implique qu'une partie de l'expérience puisse s'orienter vers des actes que ne justifie aucune utilité immédiate, aucune rentabilité. Autrefois l'irrationnel se donnait comme l'exact contraire de la rationalité, et c'était l'époque du « positivisme » qui n'accordait d'importance qu'au fait établi. Une part plus grande d'ouverture au rien — qui est une autre forme de la croyance et peut-être du sacré — paraît émerger de la vie commune présente.

Sans doute, cette expérience est-elle aussi politique. Sans doute la plupart des doctrines qui suggèrent une « nouvelle donne », une révolution ou une transformation du monde appellent-elles aussi ce genre de croyance. Mais ce n'est jamais l'esprit scientifique qui sert de modèle à ces projections, ni même une vision absolue de l'histoire. « Je sais bien que je cherche à instaurer un monde où les rapports humains seraient différents et plus justes que ce qu'ils sont et que je ne demande pas à Dieu de m'aider pour ça, mais l'image que je me fais de ce mouvement de progrès, je reconnais qu'elle est aussi improbable que celle des religions. Au fond, je pense qu'il s'agit d'un pari » (enseignant, Paris).

Il semble que les Français ne trouvent plus dans la logique d'une conception du monde intellectuellement établie les sources de leurs engagements ou de leurs projections vers l'incertain, c'est-à-dire l'avenir : « En tant que militant, je sais bien que je veux aider les autres à construire un monde plus juste. Mais je sais bien que tous les chefs de partis, militaires ou civils disent ça. Et l'on voit ce que ça donne en Afrique ou en Amérique du Sud. Nous-mêmes, nous ne pouvons plus être certains. Il y a la Russie, la Chine, Cuba, il y a toutes les variétés possibles. Les choses sont bien plus difficiles qu'il y a seulement vingt ans. On n'est plus certain complètement : on se demande si parfois on ne fait pas le malheur en voulant faire le bonheur. Mais cela ne m'empêche pas, au contraire, de continuer à militer : nous ferons autre chose et ce sera peut-être mieux » (enseignant, militant politique, Sud-Ouest).

« Oui, c'est un pari, un acte de foi, dit cet étudiant de Paris. Ça ne peut être rien d'autre. Et ce qui est bien, c'est que l'on voit apparaître des gens qui autrefois auraient été mangés par les grandes organisations. Des gens comme Walesa ou Lulla. Ils viennent du peuple, ce ne sont pas des intellectuels. C'est cela qui est important. On ne peut donc pas prévoir. On fait un pari, un pari sur l'homme, sur l'idéal humain. »

Cet idéal humain émerge de tous les discours des non-croyants qui s'estiment engagés dans une action politico-historique. On dirait que le sacré et la croyance tels que nous les avons définis et dont la foi religieuse n'est qu'un aspect, se retrouvent un peu partout dans la pratique journalière : « Chrétiens ou pas, nous nous retrouvons ensemble devant les mêmes problèmes, au travail ou chez nous. Ce qui nous sépare, c'est qu'ils ont une autre idée de la mort et de la vie d'après. Moi aussi, en somme, j'ai mon idée d'une vie que je ne verrai sans doute pas et que mes enfants ne verront peut-être pas non plus » (ouvrier, Paris).

Idéal humanitaire qui se colore de sentimentalités confuses, de charité, de solidarité universelle : « Je n'ai rien, il faut le noter, mais si tout le monde donne tout ce qu'il a, je veux bien le faire » (employé, Centre). « Je n'ai pas la foi, mais je crois qu'il existe une vaste communauté humaine qui m'intéresse plus que toutes les religions » (étudiant, Paris). « Oui, pour démontrer que nous ne sommes pas des pions sur un échiquier, j'estime qu'il est bon que nous fassions quelque chose au nom de l'humanité » (autre étudiant). Une jeune femme ajoute (employée et étudiante) : « Je suis disposée à partir en Afrique, avec les services de l'UNICEF, non pas parce que je m'intéresse spécialement à l'enfance ou à la médecine, mais parce que j'estime qu'il faut consacrer un peu de sa vie à aider les autres. Il y a une humanité que nous ne connaissons pas. J'y ai aussi un intérêt personnel puisque je m'intéresse à la découverte des cultures autres que la mienne ; je crois qu'avant de s'occuper de science, on doit penser à ce qu'on peut faire pour des gens qui n'ont rien » (autre étudiante, Paris).

Cette idée (vague) de l'humanité est une représentation claire pour ce professeur (Ouest) : « Tout ce que je fais, c'est pour une certaine image de l'homme, un idéal si l'on veut, et qui finira bien par s'imposer. » De cet idéal il donne quelques détails précis : « Égalité complète entre les chances et capacité accordée à tout individu de devenir ce qu'il veut, sans restriction. » Assurance comparable chez cet ouvrier du Centre qui justifie son engagement politique par l'« idée qu'il s'est toujours faite de l'humanité dans laquelle tout le monde est solidaire ». Ou cet employé du Nord : « Si je milite, c'est surtout parce que j'ai pour moi une certaine image de ce que devrait être l'humanité et que je ne me contente pas de répondre seulement aux incitations économiques. » Il ajoute même qu'« il se demande comment des hommes ou des femmes qui n'obéissent qu'au moteur des salaires ou de l'économie, peuvent être capables d'imaginer le changement de la société et une vie plus humaine ».

On disait autrefois que tel ou tel engagement absolu en faveur d'une idéologie constituait une « religion de remplacement », la « compensation » existentielle d'une mystique : renversement sommaire. Quand on se met à l'écoute de ces voix diverses enregistrées un peu partout, on voit émerger un idéal humanitaire qui accorde à l'homme un privilège absolu, bien que cette image reste vague. Ceux qui tentent de la confronter avec l'idée qu'ils se font du sacré n'y parviennent pas ; ou bien ils affirment : « La religion, ça ne m'intéresse pas et je n'ai rien à y voir » (infirmière, Centre) ; ou bien ils identifient l'un et l'autre, empruntant ici et là des bribes de justification : « Le Christ, qu'est-ce qu'il a dit d'autre ? Il a simplement représenté l'humanité », dit cet instituteur du Nord qui n'a sans doute jamais lu Renan. Ou cet employé du Midi : « Ce que veulent les communistes, c'est peut-être la même chose que nous, je ne parle pas des chefs, mais des types d'en bas avec qui l'on travaille : c'est le destin de l'humanité qui les intéresse eux aussi. »

« Il faut, dit cet étudiant de Paris, il faut quelque chose qui entraîne les gens. On ne peut pas toujours être seulement poussé par les fameuses conditions sociales. On n'est pas seulement des boules de billard qui protestent parce qu'on les a poussées en avant. Il faut qu'un moteur plus fort entraîne les gens, je ne parle pas de X ou de Y, mais de tous, de tous ceux qui font le monde d'aujourd'hui. Il ne va pas très bien le monde d'aujourd'hui, et c'est parce qu'on veut trop souvent être une victime ou le résultat de forces qu'on ne contrôle pas. Alors, est-ce que c'est ça qui peut entraîner les gens ? La misère ici, le chômage, la guerre... On le sait, justement. On va pleurer en se regardant dans les yeux ? On va défiler dans les rues en disant qu'on en a marre ? Tout ça sert les gouvernements en exercice : ça ne les dérange pas. Ils laissent faire. Mais dès qu'une idée nouvelle commence à germer, attention ! C'est cette idée nouvelle qui compte. Moi je sais bien ce que l'on fait des gens qui vivent aujourd'hui : les instruments d'une politique, et toujours d'une politique égoïste ou nationaliste, ce qui revient au même. Les gens du Sahel, comme les Indochinois, comme les chômeurs chez nous, ils sont victimes, d'accord. Mais ils le restent, s'ils se contentent de pleurnicher sur leur misère : il faut un effort supplémentaire. Il est possible que la religion, autrefois, ait dit quelque chose de ce genre avec l'égalité des hommes devant la mort. Maintenant, ce serait plutôt devant la société qu'on devrait se défendre, parce que c'est elle qui est en train de devenir inhumaine. Je crois que l'élan politique, enfin de ce que j'appelle, moi, politique et l'élan de la religion sont semblables, mis à part le clergé et le personnel des partis. C'est l'après, moi, qui m'intéresse et cet après, si on le veut, peut donner à l'homme ce qu'il n'a jamais eu encore et qu'il cherche sans le savoir : peut-être pas le bonheur comme on dit, mais la possibilité d'être ce qu'il veut, sans étouffoir. »

Les doctrinaires s'indigneront de cette homologie entre l'utopie politique qui justifie les engagements et la foi qui entraîne les dévouements. Elle est partagée par la plupart de ceux qui nous répondent. Plus précisément, nous n'avons rien trouvé d'autre, sauf chez quelques intellectuels politiques, d'une eschatologie ou d'une théologie justifiée scientifiquement et, par conséquent, imposée comme rationnelle. Au contraire, des étudiants, même engagés politiquement, se montrent prudents : « Je ne sais pas s'il y a une science de l'histoire et s'il y a des lois absolues, universelles, enfin comme les lois de la pesanteur. J'en doute maintenant, parce que s'il y avait une loi de ce genre, toutes les révolutions seraient semblables et ce n'est pas le cas. Bien sûr, on dit que chacun doit trouver sa formule, mais quand il le fait, est-ce qu'il obéit aux mêmes lois ? » (étudiant, Paris).

L'identification est plus intense encore chez les croyants engagés dans la politique ou le syndicalisme et qui trouvent pour leurs camarades athées les mêmes justifications par un idéal humain : « Ce qui fait que ces gens-là peuvent tout supporter et c'est pourquoi je les admire, c'est qu'ils ont comme nous l'idée qu'il existe un monde à venir où tous les hommes seront semblables. Ils le voient sur terre, c'est leur droit. D'ailleurs, moi aussi je combats pour un monde meilleur sur terre » (ouvrier, Sud-Ouest).

Idéal sans doute vague et confus pour les idéologues ou les doctrinaires qui ne se gênent pas, d'ailleurs, pour en tirer parti, mais utopie commune aux croyants et aux non-croyants : cette utopie humaniste contredit les déjà anciennes critiques adressées par les philosophes contre l'« humanisme » et il est douteux que cette critique ait « passé la rampe ». Là aussi, il s'agit d'une forme de la croyance...

La faute originelle, aujourd'hui

On ne pouvait se contenter de ces indications. Nous sommes revenus en arrière dans nos conversations et nous avons retrouvé un des vieux thèmes de la religion, en tout cas un thème qui a modelé et dominé les esprits durant des millénaires — celui du « péché originel » : une faute primordiale qui interdirait à l'homme la jouissance de son être sur terre, le condamnerait au travail et à l'incomplétude. Il s'en faut de beaucoup que ce mythe soit accepté, même par les nouveaux croyants...

On ne peut dire que l'idée du péché originel soit encore vivace. Sur 70 % des personnes questionnées — qui ressortissent à cette « indifférence de tradition chrétienne » dont parle Le Bras, très peu — à peine une vingtaine — ont, sur ce point, une interprétation précise. Il est vraisemblable qu'une telle question aurait, voici cinquante ans, éveillé plus de netteté chez des enfants formés alors en grande partie au catéchisme.

Le plus curieux est qu'à peine la moitié de ceux qui se disent aujourd'hui pratiquants et croyants (20 % de notre population) admet que ce dogme a une valeur acceptable aujourd'hui : parlent-ils pour eux-mêmes ou en pensant aux autres ? Il est malaisé de le dire tant la pression de l'opinion commune est prégnante. Timidement, une employée qui se dit croyante (Centre) estime que le péché originel a un sens « pour certains peut-être », mais pas pour elle. Une paysanne (Centre) répond sèchement que cette idée n'a plus de sens ni pour elle ni pour ceux qui l'entourent et déclare, d'autre part, obéir à toutes les prescriptions cultuelles de l'Église. Elle ajoute aussi « qu'elle n'a pas d'imagination ». Une autre encore (paysanne, Midi) réplique : « Je crois que tout le monde a ses défauts et ses qualités. » Enfin, cette employée (Centre) qui assure : « Pour moi le péché originel n'a pas de sens, mais pour moi la notion de péché a une valeur. » Et c'est une femme fervente qui communie avec son mari. Un étudiant du Nord cristallise ces doutes : « Allez donc raconter à des chômeurs ou à des mineurs de fond qu'ils sont victimes du péché originel et vous serez reçu ! Ça fait partie des vieilleries de l'Église catholique et ça peut servir encore en Afrique ou en Amérique à maintenir les gens dans la servitude, mais pas ici. Ça ne marche plus. J'ai fait un voyage dans l'Italie du Sud, alors là, ça marche très bien avec ces femmes en noir et ces filles qu'on cloître. Un vrai triomphe de l'Église noire, celle qui nous a fait plutôt du mal. Le malheur et le détraquage mental. Ce n'est pas ça la foi religieuse. Ça ne marche plus : si je crois, ce n'est pas à cause du péché originel. »

Passons sur la franche hilarité qui accompagne cette

question chez les incroyants ou chez d'anciens croyants qui ont perdu la foi. Curieusement, l'idée de péché originel est plus claire chez eux que chez les fidèles, sans doute parce que, formulée clairement à un certain moment de leur vie, elle les a aidés à se dégager de la foi. « Si j'avais une foi, alors là, peut-être, je me sacrifierais, mais je ne crois pas et surtout pas à cela, à ce qu'on dit sur une faute qui serait dans la chair et qui empêcherait de vivre avec son corps. Les nonnes et les curés ont fait vœu de chasteté ; je les trouve bien cons : ils ne savent pas ce qu'ils perdent... Note que, tout ça, ce n'est jamais sûr. » Et ce commerçant (Midi, 45 ans) : « Pas pour moi, j'ai pensé à ça, oui, autrefois, c'est vrai, mais ça a diminué. C'est bon pour les autres, qu'ils y aillent ! » Ou ce travailleur social (Centre) qui explique qu'« il a la foi, mais différemment des autres », qu'il ne respecte aucun dogme et qui, pourtant, « se fait des prières pour lui seul », assure catégoriquement « que le péché originel n'existe plus. » Il trouve « comique » qu'on lui pose cette question « comme s'il s'agissait de Mgr Lefebvre, car c'est le genre d'idée qui m'a séparé des curés et poussé à me faire ma croyance à moi »...

S'efface l'idée d'un don de soi ou d'une partie de soi-même fait à l'invisible. Et pas seulement pour les non-croyants mais aussi en grande majorité pour les croyants : « On ne peut pas admettre que l'homme ou la femme soient à jamais maudits : la rédemption, pour moi, cela ne compte que pour ce que j'ai pu faire personnellement » (femme, cadre moyen, Est). « Je veux bien que l'on ait cette idée d'une destinée fatale de la condition humaine, dit ce médecin du Centre, mais cela va exactement à rebrousse-poil de ce que je fais, de ma vocation : la charité l'emporte sur l'enfer et sur le péché originel. » Ou bien : « Je ne vois pas pourquoi on serait maudits une fois pour toutes. C'est une idée archaïque et je sais bien que nous autres [protestants] l'admettons, mais je n'arrive pas à y croire vraiment : nous ne sommes plus des puritains, heureusement ! » (ingénieur, Est).

Se cache sans doute sous cette contestation une revendication commune que nous avions déjà observée lors de notre enquête sur la jeunesse : on accorde à la vie sous les aspects les plus divers, charnels et spirituels, mais à la vie individuelle engagée dans le monde, une valeur d'autant plus grande que l'on perçoit l'histoire et la société comme une menace. Alors, on se réfugie dans un recours à la « nature » : « On n'a pas à céder ou à ne pas céder à la nature ! Elle est en nous, la nature. On ne peut pas s'y opposer. Elle est ce qu'elle est et je suis dedans. Est-ce que le désir n'est pas naturel ? » (employée, Centre). Ou cet étudiant (Centre) : « La vie c'est vraiment court. Pourquoi s'embarrasser de fautes qui ne sont pas les nôtres ? On a bien plus à faire avec les erreurs qu'on commet tous les jours et dont on subit les conséquences. »

« Je ne sais pas ce qui se passera, mais je crois bien que si un curé venait me dire que je dois être condamnée pour une faute que je n'ai pas commise, je préférerais abandonner ce que je crois : je ne fais pas attention à tout ce que dit la théologie, sans cela je serais depuis longtemps athée », dit cette étudiante (Midi). Ou ce malade (55 ans, Centre) : « Il est possible que je m'en sorte. Un curé est venu me voir un jour pour me parler du péché et de la fatalité, etc. Je me bats avec la maladie, c'est mon affaire, pas celle d'Adam. » Et, avec plus d'amusement, un étudiant assure : « D'abord, je n'aime pas les choses et je ne vois pas pourquoi j'irais m'embêter avec des idées qui datent de deux ou trois mille ans et qui m'empêcheraient de profiter de la vie... »

Profiter de la vie... C'est l'obsession de tous : tirer du peu que l'on est, en ce moment, *hic et nunc*, le meilleur possible et, si possible, sans se laisser envahir par la « mauvaise conscience » ou l'amertume. « Je me demande si la notion de péché n'est pas simplement un truc pour empêcher les gens de vivre comme vivaient autrefois les gens de cour, les privilégiés ? » (étudiant, Paris).

Vivre...

Et cela nous conduit, bien entendu, à la contraception et à l'interruption volontaire de grossesse, c'est-à-dire au choix libre que l'on peut faire de sa descendance. « Une des supériorités que j'ai sur ma chienne » dit une employée croyante, du Centre. Or, il est surprenant que le principe en soit admis à égalité par les croyants et par les non-croyants ; que près de 40 % de ceux qui se réfèrent au christianisme admettent que le contrôle des naissances « est bon pour certains » tout autant que les non-croyants et que la quasi-généralité des femmes interrogées de tous les âges et de toutes les conditions en approuvent complètement l'idée.

Non croyante, cette employée de l'Ouest fait les réserves suivantes : « Je suis pour la contraception lorsqu'il y a des gens qui ne peuvent plus nourrir leur famille, qui n'ont plus les moyens. Mais quand je vois tout ce qui se passe à l'heure actuelle, je vois des gens qui font des gosses et on devrait les leur enlever. Il faudrait faire le pedigree de chacun avant, financièrement et puis moralement. » Ou cet autre, un ouvrier (Ouest) : « Je suis pour la contraception, mais il faut pourtant essayer de sauver les vies car, sans cela, c'est la porte ouverte à tous les excès. » « On peut toujours contrôler les naissances, prendre la pilule, surtout les jeunes quand ils ne sont pas mariés, mais après, pendant le mariage, ce n'est pas la même chose : je crois qu'il faut se méfier de tout principe en général » (cadre moyen, 30 ans, Sud). Ou encore, cet ingénieur du Nord (40 ans) : « Oui, dans le principe, oui, mais allez voir ce qu'en font certaines bonnes femmes que je connais ici et là : elles couchent avec n'importe qui puisqu'il n'y a pas de suite et que ni vu ni connu. » Ou cet employé retraité du Midi : « De toutes les façons je suis pour, bien sûr, parce que les jeunes peuvent peut-être faire des essais, ce que je n'ai pas fait ; mais pas après : il faudrait la supprimer après le mariage ou la réglementer pour des malades, des fous, des pauvres... »

Mais certains croyants se déclarent favorables à la contraception — 15 % des catholiques interrogés. Ainsi cette employée de l'Ouest : « J'ai la foi, je l'ai toujours eue. J'ai été élevée dans la religion catholique ; pour moi, la foi n'implique aucun refoulement des désirs naturels. Mais je suis pour la contraception et pour l'avortement dans certains cas de misères morale, matérielle ou de maladie. » Ou cette enseignante (Ouest) : « Je crois que l'Église catholique est contre la contraception, mais je crains qu'il n'y ait pas mal de catholiques qui la pratiquent. Entre la croyance et les actes, il y a un pas. » Et cette croyante, respectueuse du jugement des non-croyants : « J'imagine difficilement qu'on puisse être contre la contraception, car notre vie et notre corps sont notre seul bien. Nous devons pouvoir en disposer comme bon nous semble. L'avortement me semble parfois l'ultime solution, étant donné les bouleversements psychiques et physiques qu'il entraîne. Il y a là effectivement une contradiction — pas la seule ni la moindre — entre la vie et ce qui est propre à la morale religieuse. » Elle ajoute qu'elle se fie à la raison de chacun pour régler ce problème qui ne ressortit pas à l'autorité d'une institution. Même accent chez un étudiant (Paris) : « L'Église varie ; elle a déjà varié sur des tas de questions, pourquoi pas sur celle-ci ? La contraception, si on dit qu'on ne la pratique pas, on la pratique en cachette. Alors, c'est l'hypocrisie et je pense qu'il faut envisager franchement le problème. J'ai des amis qui n'ont jamais pensé à croire en Dieu et qui ne voudraient pas que leurs copines ou leurs femmes prennent la pilule. D'autres, qui appartiennent à des mouvements catholiques, dont je sais qu'ils contrôlent soigneusement ce qu'ils font. Quant à l'avortement, j'avoue que si ma femme m'amenait un gosse sans bras ou complètement invivable, je ne sais pas ce que je ferais. »

Une majorité de personnes questionnées considère la contraception comme un fait acquis, entré dans les mœurs et qui ne devrait poser aucun problème moral. L'argument principal est celui que nous avons presque toujours retrouvé depuis le début de cette enquête : la propriété du corps et de la vie, seuls biens véritables dans une société qui apparaît souvent fragile et incertaine. Sans parler de la joie de vivre...

La joie de vivre, c'est cette infirmière (Centre) qui la manifeste avec éloquence : « La contraception, c'est très bien : une femme peut choisir enfin. On choisit l'homme et l'enfant, librement. D'ailleurs, pourquoi sauver la vie quand elle n'est plus désirée ou qu'elle ne peut pas l'être ? Moi, personnellement, je ne suis pas malheureuse, je ne veux m'imposer aucun sacrifice... Les rites religieux me font rigoler — le voile, la circoncision, le carême. Ça ne sert à rien. La vie est courte. Je ne veux pas de contraintes. » Elle ajoute : « Sans doute parce que j'aime ma vie à moi. » Ou cette enseignante (Centre) : « Je me suis imposée des contraintes au nom de la peur de la vie qui me vient de mon père ; mais je ne veux plus de contraintes. Je suis pour la contraception, la contraception est bonne. »

Cet ouvrier de l'Est (30 ans) ne cache pas son militantisme et les nuances qu'implique son idéologie : « Oui je suis pour la contraception en général, dans le régime où nous sommes. Et quand on pense aux guerres, à la famine ici et là, aux tortures dans les pays fascistes, on se dit que la vie ne compte pas et qu'il faut sans doute penser à ça. Le vrai est qu'on devrait organiser les choses de telle sorte qu'on n'aurait pas besoin de tuer les uns pour faire vivre les autres. Ici, chez nous, c'est peut-être une sorte de défense. » Ou ce paysan du Midi : « Oui, il y a des cas, et je pense qu'il est bon qu'il y ait les moyens, maintenant ; ça ne doit pas conduire à la débauche qu'on voit dans les bals, le samedi soir et les gens qui couchent n'importe où avec n'importe qui. » Ces nuances sont politiques ou morales, elles s'effacent dès que l'on questionne les gens de moins de 30 ans qui n'apportent aucune restriction au principe et déclarent comme cette employée (Midi) : « C'est la liberté, je ne vois pas pourquoi une liberté serait mauvaise. J'ai le droit de profiter de mon corps et de ma vie sans qu'on vienne me dire ce que je dois en faire. On n'est plus à l'inquisition, non ? Et puis si une telle veut ne pas prendre la pilule, ça la regarde, pas moi, et je n'ai rien à faire de ce qu'elle pense ; alors qu'elle ne se mêle pas de mes affaires. La liberté, c'est tout ce qu'on a, et les femmes commencent juste à le savoir, alors... »

Et puis, quelques avis contraires, mais nuancés, de médecins (Centre, Sud-Est et Paris) : « L'avortement est un grand mot, un mot de justice. L'application de la loi Weil, c'est autre chose et nous pratiquons ça tous les jours de la semaine. Seulement, Dieu n'a rien à voir là-dedans et je garde pour moi mes convictions : la médecine a pour devoir de protéger et de guérir les gens et la loi nous oblige heureusement à nous tourner vers la situation sociale et économique, sanitaire ou psychique des femmes. C'est cela l'important. Il ne s'agit pas de débauche ou de je ne sais quoi ! On a parlé aussi de débauche quand on a mis ensemble dans les mêmes classes les garçons et les filles. Qu'est-ce qu'on n'a pas raconté sur les classes mixtes ! Il faut laisser dire les imbéciles... » « Il est certain que je suis catholique et que je ne vais pas commencer à faire des choses que je ne pense pas. Je ne suis pas pour l'avortement mais je ne pense pas que la contraception soit un avortement. Il s'agit souvent de cas individuels et il n'y a que des cas individuels. La religion chrétienne parle-t-elle d'autre chose ? La loi Weil ne me paraît pas contradictoire avec mes principes même si je rencontre ici ou là un de mes collègues, un peu furieux... » « Moi, dit une femme médecin, il va de soi que j'applique cette loi : imagine-t-on le nombre de souffrances, de délits, de catastrophes qu'on évite ainsi chez les femmes, surtout les femmes jeunes ? Je n'ai rien à voir avec la foi, ou plutôt ma foi, c'est de respecter la liberté des femmes que je soigne, et rien d'autre... » Un seul, jeune médecin de campagne (Midi), conteste vivement ce qu'il nomme « le droit de tuer » et se déclare « hostile à toute sorte de procédés qui tendent à supprimer la vie humaine. J'ai lu quelque part qu'autrefois les communistes pensaient comme moi, alors je suis d'accord avec eux. Maintenant je ne sais pas ce qu'ils pensent, mais moi, je conserve mes principes. Alors, on ne viendra pas me demander à tout bout de champ la pilule. »

« Les principes, dit ce magistrat (Ouest, 35 ans), c'est au nom des principes qu'on tue les gens. Violence sur les autres ou violence sur soi-même, la loi interdit les deux ; mais il y a la jurisprudence et ce qu'on peut appeler une sorte de droit social qui devrait tenir compte des changements qui interviennent sans cesse dans les mœurs. C'est de cette évolution qu'il faut tenir compte. Je ne dis pas que c'est toujours facile. » Les autres magistrats interrogés sur ce point réservent leur réponse. Peut-être pensent-ils comme ce dernier (Paris) : « Que les choses sont en pleine transformation et que les idées que l'on s'est faites à la faculté de Droit sur ce qui est permissible ou non, ne sont pas immuables. Il faut la plus grande prudence, et il n'y a que des cas spéciaux qu'il faut examiner l'un après l'autre... »

Un sacré diffus

Ce sacré diffus dont on a parlé plus haut prend une figure sociale — et dans près de 20 % des réponses. Qu'il s'agisse d'hommes et de femmes de confession catholique, qu'il s'agisse d'individus qui manifestent un besoin de croire qui les amène à s'agréger à des sectes ou des idéologies étrangères, surtout orientales...

Nul n'a étudié encore la conduite sociale qui pousse les uns et les autres à reconstituer, en dehors des institutions religieuses, de petits cercles d'adhérents qui consomment en commun, dirait-on, la substance invisible d'une foi identique. L'idée de ce « sanctuaire protégé » affecte les chrétiens : « Je suis à l'abri quand je me retrouve avec des amis, en dehors des gens qui parlent de gros sous ou qui ne pensent qu'à progresser dans la société : nous nous retrouvons régulièrement chez les uns et chez les autres et nous discutons de certains textes, comme l'Apocalypse ou d'autres livres de ce genre. Ce sont les meilleurs moments de la vie que je mène entre le bureau et ma chambre » (étudiant, Paris). « Je pense que nous avons fait quelque chose d'important : nous avons fondé une sorte de refuge où nous discutons entre nous, où nous partageons les mêmes idées. On met tout en commun. C'est entendu, je vis comme les autres dans les tours des portes d'Italie, mais c'est notre manière à nous de nous opposer au paysage, aux voitures, à la pollution. Nous ne prions pas en commun, en ce sens que nous méditons en silence surtout, mais nous faisons des progrès constants dans la recherche de la paix intérieure » (enseignante, Paris).

Un ancien journaliste, reconverti dans l'ébénisterie, à Paris, parle de ces « ermites qui vivent auprès de nous, dans des chambres de bonnes ou même des appartements : ils ne mangent pas ou presque pas, ils méditent toute la journée. Ils ne travaillent plus. Nous leur apportons ce que nous pouvons. Il y en a près de 200 à Paris. On se réunit tantôt chez l'un tantôt chez l'autre... » La présence de ces ermites est attestée également par une infirmière du XIIIe arrondissement qui, elle aussi, les fréquente et les aide : « Nous n'avons plus besoin de désert. Ils disent que le vrai désert, c'est Paris. Ils sont maigres, mais la flamme qui les anime les aide à vivre. Ils ont décidé de vivre en dehors de tout, simplement sur leur mystique. » Elle et certaines de ses amies se réunissent autour de ce « gourou » dont elles écoutent les avis : « Nous sommes une communauté fermée. On ne reçoit personne. On se recrute nous-mêmes en ce sens que l'on amène avec nous une fille ou un homme qui est proche de nous. »

Que cherchent ces hommes et ces femmes qui se mettent à l'écart de la société ? Autrefois, on parlait de « marginaux ». C'est un mot emprunté au vocabulaire policier. Ces « marginaux » se regroupent dans des communautés sur lesquelles nous savons peu de chose et qu'il est malaisé de pénétrer. Ils se situent aux confins de la théologie chrétienne ou islamique qu'ils transforment à leur guise, interprétant les textes et les récits mythiques dans un sens toujours mystique. Ils n'attendent même pas l'apocalypse : ils constatent qu'ils vivent dans un monde hostile et puisent leur énergie dans la fraternelle complicité d'une adhésion partagée.

Ceux qui se reconnaissent dans une mythologie orientale, on les retrouve dans ces communautés de Khrishna qui ont ici et là remplacé les communautés des années 68, depuis longtemps dispersées ou dissoutes. Il faut admettre qu'une foi commune est un lien plus solide que le simple désir de mener une existence sans contrainte sociale. Ce qu'on y trouve souvent est une seconde famille ; une investigation dans un des châteaux où se sont installés les membres de Khrishna, au Centre de la France, révèle qu'on y retrouve nombre de fils ou de filles de divorcés ou de familles disloquées [1].

« J'ai rarement trouvé un accord comme celui-ci : il faut dire que ma famille était dispersée, mon père parti avec une fille et ma mère un peu vieillie. Au lycée, à l'université, on est seul. Personne ne vous aide. J'ai tout laissé tomber et je suis venue ici. Ici, c'est une famille, une vraie famille, une famille que j'ai choisie moi-même, où j'ai trouvé l'affection et l'égalité » (ancienne étudiante, 22 ans, Centre). Ou ce cadre moyen venu de Paris (30 ans) : « J'ai tout laissé tomber. Je ne regrette pas les encombrements de bagnoles dans les rues ni les traites à payer. Ici, j'ai donné ce que je pouvais donner et je me sens tout à fait chez moi. On n'est pas à l'écart, comme vous l'avez demandé tout à l'heure, on est un noyau. »

Un paysan de la région ne leur est pas hostile : « Ils s'habillent avec une robe jaune, ils vont pieds nus ou presque, par tous les temps. C'est leur affaire. Mais ça ne dure pas : on ne voit jamais les mêmes. » Ou cette commerçante du cru : « Ce ne sont pas tellement des clients. Je ne sais pas trop ce qu'ils mangent, mais je ne crois pas que ce soit pour se punir comme les moines. Ils perdent du poids, d'ailleurs. C'est peut-être un bon moyen pour maigrir ! »

Certes, bon nombre d'échecs sociaux trouvent ici leur apaisement, comme le suggère cette ancienne employée de commerce : « Je suis venue ici, il y a deux ans et j'étais complètement paumée. Tu vois : des histoires qui tour-

1. J'ai constaté autrefois que la plupart des élèves des écoles de théâtre ou même les acteurs étaient fils de divorcés ou de familles désunies (J.D).

naient mal. Je ne voulais pas revenir chez moi. Je suis montée à Paris et je suis tombée sur des amies qui venaient faire des stages ici. Je les ai suivies. Je n'ai aucune foi pour ma part. Simplement, je suis avec les autres et ce qu'on fait ensemble me donne une sorte d'équilibre. Il y a des protestants, des catholiques, des gens qui ne croient à rien. On laisse le corps se laisser habiter. » Un jeune ingénieur qui a abandonné l'« Ashram » dit qu'il y est resté près de deux ans : « Comme pour de grandes vacances ou, si tu veux, une écluse entre la vie que je menais et ce que je voulais faire. Je suis très content d'y être passé et je sais maintenant qu'il ne faut rien attendre des autres, de la société et que ce sont seulement ces noyaux qui comptent. Je revois souvent des amis du centre. Nous en parlons. »

Chrétiens ou non-chrétiens, ceux qui se laissent envahir par le besoin de croire ou par le flux du sacré, marginaux ou non, recherchent, semble-t-il, ces communautés intimes où l'on se sente « à l'abri » de la société parce que la complicité d'une consommation commune de substance spirituelle les anime les uns et les autres...

On peut en faire tout au plus une tendance — et qui concerne seulement ceux ou celles qui se laissent dominer par le besoin irrésistible de vivre dans un monde qui n'obéisse pas aux lois du déterminisme ou de l'égoïsme : « Je suis comme d'autres, je cherche à retrouver des gens qui sont comme moi et qui ne se soucient pas d'obéir à des dogmes. Je pense que les fameux groupuscules des années 68 étaient un peu cela et que l'on faisait tourner les tables en commun autour de Mao, autour de Trotski ou de Staline. Du pareil au même... Mais nous, ce n'est pas à l'histoire qu'on pense, c'est simplement à, je ne sais comment te dire, à la tendresse, à l'amour » (enseignante, Ouest).

De toute manière, une intense trituration des dogmes et des mythes s'effectue dans ces groupes ou ces sectes, chrétiennes ou non chrétiennes. Aucune foi établie ne s'impose ici, aucune orthodoxie. « On s'arrange avec tout, avec les évangiles apocryphes, avec le Coran, avec les livres sur le Bouddha ou avec le Zen. On ne cherche pas la vérité. C'est plus sensible que ça. On est plutôt à la recherche d'une forme qui nous entraînerait tous dans son sillage » (étudiante, Ouest). « Je ne sais pas : il me semble que je fais moi-même ma croyance, que je prends ici et là tout ce dont j'ai besoin. Les autres sont comme moi. On ne veut pas croire en ceci ou en cela. On veut être ensemble en trouvant les mêmes choses » (employé, 25 ans, Paris).

Est-ce un sacré qui découvrirait dans un monachisme retrouvé un chemin vers ce qu'il convoite : la participation affective ?

Le bricolage du sacré

Qu'est donc cette religion ou qu'est donc cette foi à laquelle on adhère ou non mais dont il faut bien reconnaître le « fait » — ne fût-ce que par les traces que des générations de croyants ont laissées dans la conscience et transmise par l'éducation, les mœurs, les lois ? Les uns et les autres en admettent l'existence et pour ainsi dire le caractère institué et prégnant, mais plus de 60 % de notre population, croyants et non-croyants, souhaitent la faire passer par le crible de leur conscience personnelle et leur souci de liberté individuelle...

« Je me suis mariée avec la bénédiction d'une religion et ça m'a porté chance puisque je suis divorcée ! » (employée, Ouest). « Pour moi, l'essentiel est de vivre en paix avec soi-même. Il est vrai que c'est un problème délicat et très difficile, mais il faut pouvoir à certains moments décider seul. Il faut savoir être raisonnable. Il faut savoir pour quelle raison on fait telle ou telle chose, se mettre en cause, se poser des questions même si elles sont souvent difficiles à résoudre » (enseignante, Nord). « Je ne veux pas faire n'importe quoi de ma vie : je voudrais qu'elle ait un sens pour moi seul et que ma vie en ait un pour ceux qui m'entourent, et aussi pour les amis qui partagent les mêmes combats et les mêmes espoirs » (employé, Midi). « La religion, oui, pour ceux qui y croient. Elle a sa place, mais pas plus que ça. Je respecte les gens qui ont une foi. Mes parents en avaient une comme tous les gens à l'époque. Je pense que c'est un reste du passé » (ouvrier, Est). « Je n'ai jamais cru, je ne crois pas que mes fils aient de la religion : ça n'empêche pas qu'on soit très bien avec les gens qui vont à la messe, ici. Je pense même que nous votons pareil ! » (paysan, Centre). « Je n'ai pas de religion, j'ai des copines qui en ont. Ça les regarde : ça vient de leurs parents ou de leur mari. Je crois qu'on s'entend sur l'essentiel » (employée, Centre). « L'essentiel pour moi n'est pas de croire ou d'adhérer à une religion quelconque : j'ai des amis arabes ou africains qui sont peut-être encore animistes. Je m'en moque. D'ailleurs, si on creusait beaucoup chez les gens d'ici, on trouverait des traces pas très catholiques, pas très modernes non plus. Qu'ils croient ce qu'ils veulent. La religion existe pour ceux qui y croient » (étudiant, Paris). Ou enfin, cet ancien employé de chemin de fer, retraité (Est) : « On croit, on croit pas ? Autrefois, peut-être, ça avait de l'importance. Pas aujourd'hui, essentiellement. Je veux dire que je ne demande pas comme ça à quelqu'un avec qui je parle s'il croit ou non en Dieu. C'est une affaire qui ne regarde que soi. Cela dit, je sais bien qu'on dira un service funèbre catholique sur moi, quand je serai mort, pour faire comme les autres, même si je ne me suis pas confessé, etc. Qu'est-ce que ça peut me faire, puisque je n'y serai plus ? Je pense que croire aide des gens à vivre, à traverser des ennuis. Moi, pendant mes difficultés, je n'en ai pas eu besoin, mais qu'un autre, mon meilleur ami par exemple, ait besoin de ça, je n'ai rien à y voir. »

Émerge pourtant chez les croyants et les non-croyants, cette idée qu'il faut « faire avec ce qu'on a » et qu'il s'agit, pour vivre dans un monde complexe et déconcertant, de manipuler ou de « bricoler » rites, croyances, restes de craintes séculaires, survivances d'injonctions reçues durant la première enfance. L'héritage n'est, semble-t-il, jamais reçu et conservé dans son intégrité. L'athéisme des premières années du siècle s'est teinté de respect pour l'autre, et la foi d'un vague scepticisme ou du moins d'un libéralisme incontestable. La population que nous avons interrogée n'est pas prête pour les guerres de religion...

« Oui, je crois, dit cette employée (Centre), ça ne regarde que moi, et même pas les curés avec qui j'ai de bons rapports, mais j'arrange ma vie comme je l'entends avec ce qu'il me plaît de prendre et de laisser. » Ou cette étudiante (Midi) : « Croire, ça ne veut plus dire adhérer sans condition à une autorité, c'est dans la pratique de tous les jours que ça se fait et dans des situations auxquelles n'avaient pas pensé les bons pères. D'ailleurs, que pouvaient-ils savoir de la vie, enfermés dans leurs églises et chastes ou abstinents ? Si je crois, moi, je crois avec les gens de mon milieu et dans la vie. Je m'arrange comme je peux et je ne pense pas que ça soit condamnable. » « Il y a dans l'Église, à côté des ordres ou des prescriptions, la charité et le pardon : qu'on s'arrange dans la vie comme on le peut avec ce qu'on a et qui vient parfois des temps mérovingiens ou de je ne sais quoi, mais l'important est de vivre comme on pense qu'il est honorable de le faire ; et puis qui nous condamnera ? L'enfer, il y a longtemps que c'est une vieille image... » (étudiante, Est).

Certains non-croyants reconnaissent qu'ils subissent le

poids d'un lourd passé : « C'est vrai qu'on est conditionné, dit cet ouvrier de Paris, conditionné par des siècles d'intolérance, mais il faut savoir lutter contre ça, ou simplement en tenir compte. » « De toute façon, je sais bien que j'entends encore ma tante me dire de mettre mes mains comme ça ou de m'agenouiller comme ça, ou de ne pas faire ça parce que c'est interdit ou que c'est un péché. Ça, je l'ai en réserve quelque part. Ça m'amuse d'y penser parce qu'il faut que je vive comme je vis en sachant faire la part de tout ça » (employée, Sud-Est). « Moi, je me suis fait mon monde à moi, un monde qui me sert à vivre et avec lequel je m'arrange bien : je me demande comment font les autres qui veulent embrasser tout le monde et les planètes dans la pensée qu'ils ont de leur vie. Je m'arrange, je me débrouille avec ce que j'ai reçu des vieux et ce que je sais par expérience, même si mon expérience est forcément limitée », dit cet étudiant du Midi et c'est lui qui ajoute : « Il faut faire avec ce que l'on a. »

Il faut faire avec ce que l'on a. Il faut faire avec ce que l'on est. Croyants et incroyants ne se réfèrent à aucun dogme, semble-t-il, non plus qu'à aucune idéologie globale qu'il s'agirait d'accepter ou de récuser en bloc. On dirait qu'une expérience plus humble se met au travail et que se construit à travers tous les individus une relation chaque fois différente, avec la question métaphysique qui se pose derrière toute croyance. Ce n'est pas du scepticisme, ce n'est plus de l'existentialisme. C'est une volonté d'arranger son être propre avec les perspectives infinies ou inconnaissables dont certaines sont rappelées par les mass média — et toutes dominées par le désir de s'assurer de sa propre vie.

Nous avons posé la question de la croyance. De cette projection de l'être vers le probable ou l'incertain. Non pas celle de l'adhésion à un dogme — que l'on prend ou que l'on récuse. Ainsi, avons-nous tenté de nous placer en deçà des systèmes religieux, de la foi explicite, intellectuellement exprimée, des diverses mythologies. Nous avons tenté de laisser ouverte la question qui atteint l'homme dans l'être qu'il est, et dans son monde à lui...

Interrogation que peut emplir l'image d'un seul Dieu ou de plusieurs, une vision de l'histoire, une pratique traditionnelle, une mystique laïque ou sacrée, une construction rationnelle, ou une simple dénégation. C'est la certitude d'une affirmation péremptoire (à laquelle s'arrêtent malheureusement les « sondages » !) que nous avons cherché à éluder par le jeu de questions diverses et souvent contradictoires. Or, très peu d'hommes et de femmes se sont détournés de cette interrogation ou se sont contentés de l'éluder avec dédain (10 % seulement) : notre « population » semble admettre que l'homme et la femme dépassent leur enracinement dans un monde qui apparaît incertain. Et de toutes ces réponses résulte une sorte de pulvérisation du sacré...

Du sacré, tel qu'il est généralement défini. Car ici, c'est moins l'adhésion à une construction d'images qui importe, que la dimension que l'on accorde à sa propre vie et l'image qu'on accepte de sa propre existence. Il est possible que notre démarche soit « pragmatique » comme on disait autrefois, mais il est vrai qu'un banal sondage sur le « croire ou pas croire » n'aurait apporté que de fausses indications statistiques. On dira aussi que nous avons manifesté ainsi une sorte de préoccupation « métaphysique » bien éloignée du positivisme : nous faisons appel à cette métaphysique naturelle qui, en deçà des idéologies ou des doctrines, en deçà du rôle social qu'on tente plus ou moins bien de représenter, s'enracine dans l'expérience la plus simple, la plus commune, la moins élaborée par les « stéréotypes » empruntés à la presse, à la télévision, aux bandes dessinées...

Et cette pulvérisation du sacré qui paraît résulter de l'enquête conduit aux hypothèses suivantes :

Il semble qu'une reconnaissance s'établisse au niveau de la croyance et de la projection du moi vers l'invisible (avenir ou structure mythique du monde) et que l'intolérance s'efface. Une sorte d'œcuménisme s'établit entre ceux qui se reconnaissent en Dieu, ceux qui ne s'y reconnaissent pas et ceux qui se reconnaissent dans une définition de ce que doit être l'histoire.

L'idée même que toute croyance se justifie aujourd'hui par un « idéal humanitaire » exprime un « consensus » général : la vie présente de l'homme dans une civilisation technologique aujourd'hui délabrée ou qui paraît poser de tels problèmes de survie que l'on trouve dans l'espèce humaine elle-même le principe d'une incarnation divine, d'une raison libératrice, d'une histoire eschatologique ou d'une affirmation du « soi ».

Il est possible que les réponses eussent été différentes voici une dizaine d'années, lorsque nul ne mettait en cause implicitement ou non l'image d'un progrès indéfini (qu'on n'accorde plus qu'à la médecine et parfois à la physique), ni la croissance économique. Presque tous les hommes et les femmes mentionnent au hasard de leurs réponses le chômage, la crise de l'énergie, les évitables catastrophes mondiales (faim dans le Sahel, etc.) dans lesquelles personne ne voit un « châtiment » mais un résultat de l'« égoïsme » des privilégiés mettant en cause l'humanité entière.

S'efface la notion de « péché originel ». On se demande même souvent si les croyants, aujourd'hui, en ont une idée claire : aucun d'entre eux n'admet l'inéluctabilité d'une punition qui frapperait l'homme et le condamnerait à vivre dans le malheur afin d'expier une faute primitive. Et ce sont souvent les non-croyants qui paraissent en proposer une image plus précise : sans doute en ont-ils découvert le sens, à un certain moment de leur vie, et se sont-ils débarrassés d'une tradition qui leur semblait irritante.

D'ailleurs celles et ceux qui en formulent le plus nettement le sens sont aussi celles et ceux qui revendiquent hautement le droit de disposer de leur corps et de leur existence « comme du bien le plus précieux », « le seul bien dont on dispose aujourd'hui ».

La fréquentation cultuelle paraît comme un élément secondaire, souvent considéré comme périmé, y compris pour ceux qui postulent une foi presque mystique et respectueuse, en raison de l'affaiblissement du rôle de l'intercesseur.

On admet généralement, chez les croyants et chez les non-croyants, que le représentant d'une religion exerce une action historique ou politique, mais on ne lui accorde plus un droit de regard sur le comportement individuel. D'où, cette valorisation des « curés qui travaillent » ou de tous les représentants du culte qui se mêlent à la vie commune dont ils partagent les soucis.

Les femmes interrogées, dans leur quasi-totalité, acceptent qu'il puisse y avoir une projection de l'être vers Dieu ou un avenir humain laïc, mais elles ne reconnaissent plus dans l'ensemble, même lorsqu'elles croient, des règles contraires à une liberté qu'elles estiment avoir conquise.

Il est frappant que les plus jeunes comme les retraitées pensent que cette conquête est irréversible, et c'est au nom de ce droit social acquis qu'elles s'indignent de tout ce qui, hors d'Europe, défigure la jeune liberté des nations autrefois dominées — le voile, l'excision, l'éloignement de la femme de la vie politique. C'est au nom de ce droit qu'elles sont favorables à la contraception, y compris les croyantes.

Enfin, et surtout, on retrouve partout l'idée d'une

individuation très forte : les uns exigent le droit d'organiser leur foi comme bon leur semble, les autres pensent qu'on peut librement « en prendre et en laisser » sans souci des dogmes ou des prescriptions.

On suggère ainsi des aménagements minuscules, microscopiques — autant de « bricolages » — par lesquels on se construit *son* image de Dieu ou *son* image de l'histoire. S'agit-il d'une réaction contre l'emprise de la télévision — presque toujours jugée comme plus directive qu'informative — et, généralement, contre les systèmes d'éducation ou de transmission du savoir ? S'agit-il d'un appel au « libre examen » ?

Du moins, ce ferme propos paraît s'accompagner d'une valorisation des rapports sociaux familiers et proches. Comme pour la mort, nous retrouvons ici le petit groupe où règne la chaleur de l'intimité partagée, la famille même à laquelle s'adjoignent les amis — ces amis que nous retrouvons partout et qui caractérisent cette tendance groupusculaire à la « convivialité », à la « niche ». Nous retrouverons plus loin cette tendance à l'exaltation des relations affectives et au besoin de communauté participante qu'elle implique.

Et, de toute manière, cette pulvérisation du sacré, ces nuances et cette revendication à disposer de soi comme du seul bien qu'on possède, l'émergence même d'une sorte de revendication de la bonté (que certains appellent charité ou solidarité) semblent évoquer une privatisation des croyances, qu'elles soient religieuses ou non...

III

L'ATTACHEMENT...

Voici dix ans, l'on aurait intitulé cette rubrique « la sexualité ». Aujourd'hui, est-ce encore possible ? De la parole que nous recueillons n'émerge plus cette « sauvage sexualité » dans son abstraction fascinante, mais la tendresse, l'attachement — osera-t-on dire l'amour ?

Le discours de la sexualité, triomphant dans les livres, les média et la mode durant les années 60 paraît bien vieilli. Mis à part chez de très jeunes gens quelque peu rétro, il est mort, dirait-on, et mortes avec lui les exigences presque terrorisantes qui l'accompagnaient alors. On le regrettera peut-être mais la voix des profondeurs que nous transmet l'enquête n'a que faire de nos préférences.

L'invasion du freudo-marxisme, son exaspération à travers les organes de diffusion ou de communication ont laissé croire à certains que la sexualité s'imposait à tous dans sa fulgurante émergence. Ce fut la mode des bandes dessinées érotiques, de l'obscène sophistication, des films pornographiques, de la recherche obstinée de l'« orgasme ». L'éros comme la psychanalyse ne sont-ils pas devenus un élément du « Kitsch », de la consommation de masse ? Ne voulait-on pas instaurer une société de jouissance pure ? Il est douteux que ces efforts aient été intégrés dans les mœurs.

L'ethnologue, Roger Bastide, se demandait un jour ce

qu'il adviendrait de l'inconscient lorsque les média en auraient diffusé le sens à tout un chacun. Personne ne s'est demandé ce que deviendrait la sexualité qui brisait les réglementations imbéciles d'une morale puritaine encore, autour des années 60 — et si la liberté du désir envahirait la société tout entière.

Une infirmière de 35 ans (Paris) répond à cette question : « Il y avait autrefois à la radio, je ne sais pas où, une psychologue qui, tous les jours de la semaine, répondait à des questions, enfin à des sortes de questions et elle voulait supprimer les complexes, libérer la femme... Elle parlait tout le temps de l'orgasme. Elle en faisait une sorte de devoir : tu seras libre si tu éprouves l'orgasme ! J'ai connu des femmes à la campagne ou des ouvrières que ça a complètement détraquées. Les pauvres étaient sans doute plus ou moins heureuses avec leurs maris ou leurs copains. On vient leur dire qu'il existe quelque chose de plus et qu'elles doivent absolument le connaître si elles veulent être des femmes libres... Imaginez les dégâts ! »

Ce discours public de la sexualité a pourtant laissé croire qu'il existait une technique capable de donner à tout un chacun la force d'être un agent du désir absolu. On a aussi laissé penser que les problèmes posés par les média avaient été résolus puisqu'on en avait parlé ouvertement une fois pour toutes, que l'explication est *déjà* connue de tous, la cure indiquée, et qu'il n'en faut plus parler !

Combien d'hommes et de femmes, aujourd'hui, sont paralysés par l'idée que les difficultés intimes dont ils souffrent, la misère affective qui les immobilise a déjà trouvé une solution quelque part, avec le discours de la sexualité diffusé par les média ? On ne sait si ce genre de conscience n'engendre pas un nouveau type de refoulement, plus subtil que celui que faisait régner le puritanisme d'autrefois, un refoulement du « cela a déjà été réglé » qui se superpose au refoulement primaire de l'inconscient...

Mieux vaut donc se mettre à l'écoute d'une parole qui nous livre le blocage psychologique, la détresse, l'ignorance, la solitude et les ruses qui permettent à des hommes et à des femmes d'atteindre un plaisir ou un bonheur minuscule. Et surtout un puissant désir de communion affective, de communication entre les personnes vivant actuellement, dans ce monde, et que freine sans cesse l'exigence économique ou sociale...

La solitude

On commence par la solitude. Parce qu'elle concerne plus de 60 % des hommes et des femmes que nous avons questionnés. Parce qu'elle nous permet d'atteindre au travers de pratiques spécifiques une région que les sondages n'abordent jamais et qui, pourtant, constitue une part importante de l'expérience commune.

Or, il existe des indicateurs sociaux capables de révéler l'importance de cette solitude culturelle et sociale — ce sont ces « agences matrimoniales » à laquelle une de nos collaboratrices s'est longuement attachée. Agences auxquelles se joignent les nombreux « conseillers matrimoniaux » ou « conseillers psychologiques », dispersés dans tout le pays, les annonces des journaux ou des hebdomadaires. La somme d'indications convergentes que fournit le moteur qui commande aux uns et aux autres, l'information que nous apportent ces « boutiques de rencontres » dénoncent à la fois un besoin et une détresse.

On étudie une agence de province, mais la clientèle de ces bureaux dépasse la région : « On compte en France près de 2 600 agents ou agences qui s'occupent du mariage et un volant qui reste constant, d'environ 100 000 demandes en mariage en souffrance... En fait,

15 agences détiennent 65 % de la clientèle par l'intermédiaire de succursales multiples [1]. » Aussi, l'éclairage que peut donner l'étude d'une dizaine d'agences régionales embrasse-t-il le territoire entier, puisqu'il s'agit de « chaînes » rattachées à ces « hypermarchés des épousailles » qui couvrent toute la France.

Certes, il ne s'agit pas d'un « service public ». La redevance que l'on verse n'est pas négligeable — 2 000 à 3 000 F en 1979 —, mais il est notable que cette somme ne décourage jamais une clientèle jeune ou modeste — pas plus qu'elle ne décourage la clientèle des psychologues ou des psychanalystes.

Le rapporteur de la loi, au cours du débat dont nous parlons, constate que le taux de nuptialité est resté constant malgré les « changements de civilisation » (?) et qu'il s'agit d'un attrait constant pour la « normalité » et le mariage. S'agit-il seulement d'un appel à l'institution traditionnelle ? N'y a-t-il que cela en jeu ? Un responsable d'agence assure que « la moyenne d'âge de ses demandeurs baisse énormément, du troisième âge qui était sa clientèle d'origine, de plus en plus, on en est arrivé à moins de 32 ans en moyenne : on rajeunit énormément et c'est tant mieux. C'est rassurant car cela prouve que nous sommes dans le vrai. » Ce rajeunissement n'exclut pas ceux qui cherchent à obtenir par ce moyen une « seconde chance » dans la vie : « Il y a deux fois plus de veuves que de veufs âgés de 50 ans, dit le rapporteur de la loi, deux fois plus de femmes divorcées que d'hommes divorcés âgés de plus de 50 ans... Les veuves de 50 ans ont deux fois moins de chance de con-

---

1. Débat parlementaire au Sénat (*Journal officiel* du 16 novembre 1978). Discussion d'une loi de réglementation des agences présentées par MM. Caillavet, Palmero, Cauchon et François et du rapport de commission de M. Rudloff. Tous les responsables d'agence interrogés sont d'accord avec cette nécessaire réglementation.

tracter une seconde union que les hommes » ou que, par exemple, « les agriculteurs [qui] trouvent de plus en plus difficilement à se marier. »

Mais ce constat ne suffit pas. Il n'explique pas ce retour en force de la « marieuse ». On dit bien la « marieuse », car on constate que, dans toutes les agences ou presque, ce sont des femmes qui s'occupent de marier les gens, alors que les hommes assurent la direction de la gestion de l'entreprise. Les conseillères ont repris le rôle traditionnel de la marieuse : elles reçoivent pour cela une formation psychologique spéciale...

Voici un siècle, la « marieuse » jouait encore un rôle important à la campagne et même à la ville. La baronne Staffe, dans le dernier tiers du XIXe siècle, présentant ses *Règles du savoir vivre dans la société moderne*, livre constamment réédité, évoque le rôle de « l'intermédiaire chargé d'entamer une affaire matrimoniale » et lui donne encore le nom de « marieur » ou de « marieuse ». Le rôle social de ce personnage que l'on trouve en littérature bien avant Molière et jusqu'après Balzac survit à la société patriarcale, à la campagne et à la ville. Entremetteur, parfois « entremetteuse » comme la Célestine, il permet aussi d'établir entre des familles qui ne se connaissent pas, le lien de rencontre qui favorise l'union matrimoniale. Mais alors, il traite surtout d'affaires d'argent : n'y a-t-il pas dans le mariage une incidence politique, territoriale ou financière ? Ne s'agit-il pas, depuis le XVIIIe siècle d'un échange et d'un acte commercial ? Aujourd'hui, la marieuse ou la conseillère matrimoniale est plutôt une médiatrice entre deux solitudes...

De toute l'enquête, une réponse émerge qui définit un phénomène social actuel, une véritable maladie collective, une « sociose », si l'on veut : la solitude. Nous ne sommes plus ici dans le domaine des hypothèses, des statistiques ni des impressions, mais devant une réalité attestée et connotée par l'ensemble de la population interrogée autant que par ces révélateurs sociaux que sont les conseillères d'agence. Aucune étude n'a jamais été entreprise réellement sur cette forme collective de l'inquiétude contemporaine dont les effets paraissent s'être accentués depuis une dizaine d'années.

« Vous savez, dit cette conseillère, la solitude, ça se supporte très bien quelques années, c'est en un sens enivrant : être libre, ivre de liberté, c'est merveilleux. J'ai connu ça, d'ailleurs. Mais ça ne dure qu'un temps et au bout d'un moment... Alors, on se retrouve seul face à face avec son assiette sur la table. On se retrouve seul, par exemple, un dimanche d'été, les soirs d'été. » Cette employée (Midi, 30 ans) ne pense pas autrement : « Le plus difficile quand on parle d'amour ou de sexualité, c'est pas d'en parler, ni de dire qu'on ferait ceci ou cela, c'est de ne trouver personne avec qui le faire, justement. Ici, dans cette bourgade, il n'y a personne avec qui on puisse, comme tu dis, partager des sentiments : il n'y a personne. Ou, si tu veux, je sais d'avance que je n'ai pas à chercher. Alors, quoi faire ? Je n'ai pas de bagnole. Prendre l'autobus, et aller où ? En ville, je ne connais personne. » Et cet ouvrier (24 ans) dans une région du Centre, où n'existe qu'une seule grande entreprise, la sienne, et, dont la plupart des travailleurs viennent de la campagne : « Qu'est-ce que tu veux faire le samedi ou le dimanche en dehors des bals, s'il y en a, et c'est pas souvent. Surtout, ce sont toujours les mêmes gens et on les connaît trop. Alors quoi ? Reste la télé, le cinéma ou la balade avec un ou deux copains sur les quais, aller boire un verre au café. Tout ça n'apporte rien. » Sans parler de cette retraitée des postes (Est) qui a la chance d'habiter une petite maison à elle : « Quand j'ai fait le jardin, que j'ai entendu la radio parce que je n'ai pas la télé, que j'ai vu les voisines, mais elles sont occupées de leur côté, qu'est-ce qui me reste à faire ? Pourtant, il me semble qu'il y aurait des choses à faire. Je lis, mais les journaux disent tous la même chose et la politique m'énerve, alors ? »

Solitude aussi pour ce médecin (ville moyenne, Centre) qui n'est pas marié « parce qu'il débute et qu'il n'a pas un moment pour s'occuper de lui-même ». Ce n'est pas qu'il ne voit pas de gens : « J'en vois trop des gens, toute la journée, ils me demandent des choses précises et je perds ma clientèle, si je commence à bavarder. Au fond, je vois trop de monde et je me retrouve tout seul de toute manière. » Ou ce cadre moyen (Ouest, 40 ans) : « Je me suis séparé de ma femme ou, si tu veux, on s'est séparés tous les deux à l'amiable. Alors, maintenant, c'est le café, mais je ne peux tout de même pas taper la carte comme les vieux jusqu'à la fin de mes jours ! » ... Ou ce jeune artisan (Est, 22 ans) qui vit chez ses parents : « Quand j'ai pris le train et l'autobus, que j'ai passé ma journée à l'établi, qu'est-ce que tu veux que je foute en revenant ? C'est la télé avec papa-maman. Je ne dis pas un mot. Je n'ai plus rien à dire. Comme je suis fatigué, je me couche, et je te jure que je voudrais ne pas me coucher seul. Mais où est-ce que je vais trouver quelqu'un avec la vie que je mène ? »

Fatigue du travail, fatigue des transports, fatigue qui stoppe la recherche de rencontres avec des hommes ou des femmes, malgré le puissant désir qu'on en a : « Métro, boulot, dodo, ceux qui ont trouvé ça n'ont pas perdu leur temps. C'est plus vrai qu'on ne pense. Note qu'il n'y a pas de métro ici et tu peux dire autobus quand il y a du verglas ou moto quand il fait beau. C'est du pareil au même, et j'ai l'impression que je fous ma vie en l'air. Il m'arrive de me dire : merde ! tu vas laisser ta peau avec la vie que tu mènes et il sera trop tard, un de ces jours, tu seras froid comme un vieux » (ouvrier, Nord, 23 ans). « Moi, il me semble que j'ai en réserve des quantités de choses que je ne peux pas donner », dit cette employée de 23 ans (Centre) ou cette femme de 50 ans, veuve : « Je ne peux pas croire que ce soit fini pour moi, j'aurais encore tant de choses à dire, mais à qui ? » Est-elle hystérique, cette jeune femme célibataire (Paris), employée de magasin qui s'écrie pendant nos questions : « Comme je voudrais aimer ! mais qui ? et trouver qui, où ? »

Cette solitude, certains l'acceptent ou s'y résignent. Ils s'y « refroidissent », comme le dirait l'ouvrier cité plus haut. La solitude devient misère quand elle s'accompagne d'un besoin déçu ou réprimé de partager ses sentiments, sa chair, ses émotions, sa parole, de consommer dans l'intimité de l'énergie affective et psychique. Énergie dont la télévision, le cinéma, les bandes dessinées offrent des exemples, si stéréotypés qu'ils soient, mais que la vie, dans la société présente, interdit.

Les conseillères des agences énoncent avec perspicacité les raisons de cette misère affective — dont elles vivent : le travail, la fatigue ouvrière, l'ennui des bureaux, l'obsession des transports (surtout à Paris et dans les grandes villes), le chômage, l'urbanisation. « C'est parce que les gens sont de plus en plus seuls, qu'ils n'ont plus le temps de parler, de se faire des relations : les gens travaillent presque tous, et c'est en rentrant du travail qu'ils n'ont plus envie de sortir. C'est la vie que mènent les gens qui est l'origine de leur désarroi affectif. » L'une d'elles ne cache pas son pessimisme : « La solitude : j'ai énormément de personnes déprimées, des femmes surtout qui me sont envoyées par des médecins. Les plus atteintes sont celles qui ont un désir affectif important. Ça, ça les détraque et c'est atroce parce qu'elles se mettent parfois à boire. C'est ce qu'on appelle les alcooliques bourgeoises... Et puis, elles s'en tirent mal : un amant pour un soir, un amant pour un autre. Il y en a un qui lui fauche son porte-monnaie, un autre s'amène avec sa valise, il s'installe et se fait nourrir pendant trois mois. Elle ne sait plus comment le foutre dehors, et si, en plus, elle a un enfant, alors l'enfant juge mal sa mère... Un homme se débrouille mieux : il va dans une boîte, il trouve une fille, peut-être pas nécessairement une professionnelle. Du moins, il peut proposer quelque chose à une femme, tout ce qu'il veut. Une femme ne le peut pas. Au bout d'un peu de temps, ils viennent nous voir parce que ce qu'ils veulent c'est autre chose. »

« Il arrive même qu'on se drogue, à cause de ça, de cette solitude, de cette incapacité à trouver un partenaire, ami ou amie, et, bien entendu, je ne parle pas des intellectuels qui s'en tirent plus ou moins entre eux, pas toujours bien à ce que je crois, mais ils pensent qu'ils s'en tirent. Mais les autres... » Une autre conseillère est plus explicite : « Ceux qui se droguent, ce sont souvent les incasables pour nous. Ce sont ceux qui ont été ivres de liberté à vingt ans, et puis il a fallu affronter la vie, le chômage ou le travail, la régularité, l'ennui enfin tout ce qu'on connaît, et ils ont commencé à chercher quelque chose dans la drogue. » Il faut dire aussi que « le solitaire est toujours un peu un cas, enfin, on lui fait croire qu'il est un paria parce qu'il n'est pas marié, rangé comme les autres, et c'est un peu ce qu'on pense de lui qui en fait un incasable ».

On trouve explicitement deux raisons à ce désarroi affectif, à cette impuissance sociale à partager l'être que l'on est avec un partenaire : le déracinement et la disparition des lieux de rencontre.

Ce déracinement, il concerne surtout les émigrés de l'intérieur – employés, ouvriers, petits cadres qui, sortis d'une vie rurale où ils n'ont plus de place [1] composent une frange d'individus désemparés et à la recherche d'une

1. Soit que l'exploitation rurale s'éteigne et disparaisse sous sa forme traditionnelle, soit qu'elle fasse appel à une main-d'œuvre spécialisée parce qu'elle se « modernise ».

affectivité perdue ou introuvable. Morts sont les souvenirs d'une communauté familière et chaleureuse, mortes les formes d'une vie qui ne paraît heureuse que parce qu'elle n'est plus. « Nous avons beaucoup de ces gens, jeunes et pas jeunes, qui ont vécu leur enfance à la campagne et qui, maintenant, parce qu'il n'y a plus de travail là-bas, sont employés plus ou moins provisoirement en ville. Ceux-là, ils ne connaissent personne. » « Ces gens finissent par trouver l'argent pour s'inscrire chez nous ; d'abord il faut dire que les femmes sont toutes plus disposées à partir loin d'ici pour se marier, tandis que les hommes sont plus casaniers ou plus attachés, je ne sais pas... »

Ce déracinement est général. Les changements de milieu qu'entraîne une activité professionnelle provoquent le même genre de désarroi [1]. Là aussi apparaît, dans nos enquêtes, une inquiétude certaine devant la chance que l'on a de pouvoir quelque jour partager sa vie avec un autre : « Quand je suis arrivée ici, dit cette infirmière du Centre, j'ai compris que je ne trouverai personne. Oui, si je voulais, les médecins de l'hôpital, comme certaines de mes copines. Alors, c'est la sortie en balade un jour de la semaine, les dîners dans les restaurants, les boîtes avec toujours par derrière le fantôme de bobonne, la régulière... Combien de temps ça dure ? C'est autre chose que je veux, mais je ne connais personne, je ne suis pas d'ici. » Ou ce militaire engagé (30 ans) que ses fonctions ont appelé dans le Midi : « Ici, tu trouves de la garce tant que tu veux. Tu n'as qu'à sortir, il y en a à brassée. Et quand elles en ont marre de courir, elles cessent de prendre la pilule et te font un gosse pour faire une fin... A part ça, rien. On peut se

1. D'une enquête concernant le flux régulier d'enfants de travailleurs agricoles de la région chartrine vers Paris dans des professions provisoires (alimentation, métiers de bouche), on déduit des résultats analogues portant sur une population nombreuse, fluide et peu connue, d'exploités du travail partiel.

promener tant qu'on veut dans les rues. C'est pas la drague qui te donnera une femme... » Une femme célibataire de 45 ans (Paris) n'a guère plus d'espoir : « Je suis dans un service qui dépend de l'enseignement... J'ai été nommée là, et, au début, je croyais que je pourrais trouver quelque chose, me marier, quoi ! Pas du tout : des collègues desséchées et plutôt du genre méchant, l'appartement de deux pièces que je loue, et puis si tu veux quelque chose, tu peux toujours descendre sur les boulevards et draguer. J'ai eu trop d'histoires comme ça, qui durent un mois, six semaines, et tu te retrouves toute seule devant la télévision que j'ai fini par acheter pour me changer les idées. »

Évidemment, l'on est bien éloigné du « beau parti » que constitue dans certaines villes moyennes le « jeune et brillant fonctionnaire » ou le « brillant architecte », le « jeune médecin ». La séparation des classes passe par la solitude : un petit nombre seulement des transplantés trouve dans de nouveaux milieux de quoi satisfaire sinon sa tendresse ou son besoin, du moins son arrivisme social : « Des problèmes, je suppose qu'il y en a... Notez que pour moi, ça n'est pas la même chose. Des filles, il y en a trop ici et des gens qui veulent les caser, surtout avec une figure nouvelle. Oui, si je veux me fixer dans le pays, quitte ensuite à monter à Paris » (architecte, Midi, 35 ans). Ou cet ancien moniteur d'aviation, versé dans l'administration d'une compagnie aérienne privée en province : « Le prestige du pilote, oui, ça existe encore... Avant, c'était difficile pour moi de faire une fin, maintenant, j'ai tout le temps de choisir. » Souvent, le corporatisme est une compensation au dépaysement. Tel jeune professeur femme, arrivée dans une ville de province ou à Paris, trouve plus aisément dans le corps des enseignants un partenaire, ou l'inverse, que ne le ferait une infirmière ou une ouvrière : « Ce que je cherche, c'est quelqu'un qui ait le même système de valeurs que moi, et évidemment, je ne vais pas chercher ça dans les boîtes ou dans les usines » (femme enseignante, Nord). De la même façon, un journaliste (Sud-Ouest, 30 ans), divorcé, se marie avec une journaliste de son âge, également divorcée. Il y a des métiers qui rapprochent — les métiers qui touchent de près ou de loin à ces « professions délirantes » dont parlait Valéry et qui, parce qu'elles s'accrochent à un certain idéal de la fonction, font fi du déracinement.

L'autre raison que nous indiquent à la fois les conseillères et notre enquête tient à la disparition en France des lieux de rencontre. L'urbanisation délirante des années 60, avec ses tours, son espace de ciment qui ne laisse aucun vide pour la rencontre, la flânerie, le divertissement, l'inhumaine structure des nouvelles banlieues, fruit de la rentabilité et de la spéculation, en sont probablement la cause principale. Le développement urbain des années 60 s'est fait sans souci de l'expérience humaine, tout comme celui d'Haussmann, au siècle dernier. Mais c'est un lieu commun que de rappeler que la production sociale, en écrasant l'expérience vivante sous l'idée dominante des concepteurs technocrates, condamne les individus au désarroi ou à la violence...

« Qu'est-ce que vous voulez faire, dans le quartier où je loge ?, demande cet employé, cadre moyen (Paris). Je ne rencontre personne et je vis seul dans un deux-pièces. J'ai ma voiture, je vais au travail, je rentre. Si je dois sortir, je peux aller dans un café, et alors ? Où ils sont les cafés aujourd'hui ? A Pigalle, avec les filles ? A Saint-Germain, qui ne vaut pas mieux ? Mes voisins ? Je ne les vois pas. Ils sont confinés dans leur boîte et quand je suis tout seul dans le hall, ils me regardent comme si j'étais un voyou et que j'allais les rançonner. » Ou bien cette fille étudiante dans une ville du Sud-Est : « Ce n'est pas dans l'immeuble où j'ai trouvé une chambre que je vais rencontrer quelqu'un qui me plaît. Ni à la Faculté où tout le monde est pressé. Et puis, si vous connaissez la fac, vous avez compris : c'est une usine à examens, un point c'est tout. Alors ? La plage quand il fait beau ? Il n'y a que des bandes de gens qui se connaissent. Je ne connais personne et si je me mets à prendre toute seule un bain de soleil, il y a cinquante gars qui viennent m'emmerder. La drague, je n'en veux pas. Alors ? »

Les lieux de rencontre, où sont-ils ? « Les bals du samedi soir, dit ce paysan de 20 ans (Ouest), oui, mais qu'est-ce qu'on y trouve ? Ça m'est arrivé de rester avec une fille, et alors ? Je ne cherche pas ça. Et puis, les bals, c'était bon, au temps du rock, maintenant, c'est tout ce qu'on veut. Ça finit d'année en année. » Ou cet employé : « Les bals ? Oui, j'y vais, et toujours je me dis : tu vas trouver quelqu'un. En fait, on ne trouve personne. Ou ce qu'on trouve, tu ne passerais pas une semaine avec... » Et cette étudiante (Centre) : « Les bals, il faut s'y amener en bande, c'est déjà ça. Seule, on est à qui veut te prendre. Tu choisis entre les deux. Si tu es seule, tu te retrouves dans un lit, ça, c'est sûr, et après... Les types y vont pour tirer un coup, pas plus... » « Ma sœur qui a trente ans m'a dit que c'était autre chose de son temps, les bals, dit cette ouvrière (22 ans, Ouest). Maintenant tu danses, tu te serres avec un type, c'est sentimental et tout, et puis ça te conduit à quoi ? D'ailleurs, c'est toujours les mêmes gens qu'on y rencontre, des sortes de professionnels. Il paraît que c'était mieux avant. »

Voici quelques années, dans *La planète des jeunes*, nous avions insisté sur l'importance de ce phénomène social. Il ne l'est plus. Les rencontres qu'on y fait ne satisfont plus ni les jeunes ni les moins jeunes. Un monde est mort dont il reste les ruines, frustrantes. « J'aurais bien voulu connaître cette époque, mais c'est fini » (cadre moyen, Paris, 30 ans).

Quels autres lieux de rencontre ? Les bals concernent

aujourd'hui les très jeunes et de moins en moins les jeunes. On les dédaigne ou l'on s'en écarte. Reste, bien entendu, la plage, surtout pour le Midi, privilégié par son climat. Restent, dans les pays plus froids et dans des hivers plus longs, les salles de « flippers », mais « c'est des obsédés qui viennent là, ils ne se parlent pas, ou bien c'est la drague brutale : tu viens ? tu viens pas ? » (employé apprenti, 19 ans, Est). Les femmes, passé vingt ans, viennent assez peu dans ces salles de jeu, sauf pour « flipper » elles-mêmes, de temps à autre. Il y a sans doute des régions à tradition de fêtes ou, du moins, de manifestations collectives comme l'est encore le Nord. « Ça m'a surpris, en venant ici, dans un pays que j'imaginais froid : c'est bien plus riche, côté rencontres et fréquentations, même qu'à Paris » (employée, 25 ans). Les agences matrimoniales disent bien d'ailleurs que les régions les plus favorables à leur marché sont, en dehors de la région parisienne, les régions semirurales ou ex-rurales du Centre, de l'Ouest, du Sud-Ouest. On serait presque tenté de dire les régions de moyenne ou de petite propriété rurale. En général, l'industrialisation, même menacée comme dans le Nord ou l'Est, est plus favorable à des regroupements, à des rencontres.

Certes, pour les jeunes, il y a aussi les écoles, les IUT, les universités. « On fait un tour de piste », dit cet étudiant de première année. « On vient voir, et puis après... » (étudiante de première année). « Oui, on cherche aussi à voir du monde, mais les gens ne se connaissent pas entre eux. On ne fait rien pour qu'ils se rencontrent, au contraire. Quand il y a une manifestation politique sur ce qu'ils appellent le campus, tout le monde s'en va, parce que c'est toujours la même chose, et mis à part les militants, ils n'ont personne. En dehors de ça, c'est le vide : les profs sont pressés, les étudiants ne se voient plus dès qu'ils sortent de la fac. Il y avait un ou deux cafés, mais ce sont maintenant des bars avec des boiseries, des glaces et des consommations chères » (étudiant de maîtrise, Centre). Les IUT seraient plus favorables aux rencontres, mais « comme ils sont généralement en dehors des villes et qu'il faut y aller, c'est pas là qu'on se voit » (étudiant, Ouest).

Et ceux qui, voici douze ou quinze ans, composèrent ces vastes regroupements ou ces sectes cimentées par la musique Pop et qui faisaient si peur ? Le moteur de la sociabilité, la Pop music, est mort, les formations dispersées, l'esprit oublié. Adorno avait pressenti l'importance de la musique wagnérienne comme principe de regroupement d'une classe moyenne autour du sentimentalisme des « leitmotiv ». Nul n'a prolongé nos indications sur le rôle social de la Pop music. Et ceux qui furent concernés par ce vaste mouvement international sont entrés dans une vie qui les a dispersés. Plus de 80 % des hommes et des femmes interrogés se plaignent de « ne voir personne » et de ne plus « retrouver des amis, sauf dans un autobus ou parce qu'on fait ensemble la queue à la poste » (cadre moyen, Ouest).

Presque tous sont entrés dans « cette vie de papa » qu'ils voulaient transformer : le travail, les gosses, la télévision, cela ne favorise guère les rencontres extérieures. « On se revoit entre copains, oui, de temps en temps, enfin ceux qui sont restés par ici, une fois tous les six mois, les uns chez les autres, mais dire qu'on se rencontre vraiment, non » (femme mariée sans profession, 32 ans). « Les amis, il y en a quelques-uns, pas très loin, mais en hiver, quand on pourrait se voir, il y a presque toujours quelque chose avec les gosses ou du verglas, et l'été, on ne pense qu'à descendre dans le Midi » (ingénieur, Est, 30 ans). A Paris, la dispersion est plus grande encore, et il est rare que les amis de jeunesse se retrouvent, avant que ne soient passé dix ou quinze ans, quand leur situation sociale s'est stabilisée.

« Oui, il y a bien de temps en temps des sortes de fêtes qu'on fait et on invite le plus possible ceux qui faisaient autrefois des boums avec nous, mais qu'est-ce que c'est ?

On dit qu'on s'éclate, mais ça n'a rien à voir avec ce qu'on a connu. On voudrait bien qu'il y ait quelque chose d'autre » (instituteur, Nord). Plus analyste ou plus expérimenté est ce médecin : « Oui, à l'époque on avait, comment vous dire, des tas de sentiments à dépenser. C'était l'effervescence. Maintenant ce qu'on fait, le métier ou la famille, absorbe complètement nos sentiments. Il m'arrive parfois de me dire que je ne veux pas avoir d'émotions. Je vois des tas de gens chaque jour, et il faut économiser ses nerfs. »

Chez les gens engagés dans la vie, les activités syndicales, politiques, charitables paraissent, surtout dans la région parisienne, un moyen d'atteindre à une fréquentation affective : recherche d'un partage de sentiments par un idéal commun, fût-il momentané. « Oui, je suis dans un mouvement politique et je ne vois que les gens du mouvement, d'abord parce que ce sont des camarades, et ça, c'est irremplaçable, ensuite parce que l'on a besoin les uns des autres » (employé, Paris). « Ma femme et moi, nous sommes inscrits... ne serait-ce qu'aller aux réunions, le soir et sortir du train-train, voir des gens, discuter, c'est une bonne discipline, sans parler de l'intérêt... » (instituteur, région parisienne). « Mon grand-père, il allait au cercle, autrefois, pour lire les journaux et discuter avec les gens. Il n'y a plus de cercle. On se retrouve au syndicat, ce n'est pas forcément dans un café. C'est surtout histoire de se retrouver et de voir des têtes différentes » (paysan, Sud-Ouest).

Tous les lieux publics ne sont pas des lieux de rencontre. Ce qui est vrai des boutiques de flippers l'est aussi du cinéma et de la plupart des petits cafés. On n'y consomme guère d'affectivité entre clients, moins peut-être en tout cas que dans certains ateliers d'usine ou de petite entreprise. Il est vrai aussi qu'une certaine catégorie sociale demande à des clubs ou à diverses organisations culturelles de leur fournir le moyen d'échapper à la solitude. Solitude de célibataires, de divorcés, de veufs.

Des clubs, comme le club Méditerranée, ne fonctionnent pas seulement pour les voyages organisés. Les adhérents se retrouvent fréquemment à l'occasion de diverses manifestations : « Si je n'avais pas le club, je vivrais en sauvage complète et je suis contente d'avoir à m'acheter une robe pour aller à une soirée organisée : il y a des tas de gens, là, qui sont intéressants à connaître » (enseignante, Centre). « Ma femme et moi, on trouve plus intéressant d'aller de temps en temps à la porte Maillot, plutôt que de nous embêter à faire je ne sais quoi » (cadre, Paris). « D'ailleurs, on ne rencontre là-bas que des gens qui sont à peu près de votre niveau, je veux dire des gens avec qui on peut parler » (administration universitaire). « Depuis qu'on s'est séparés avec mon ex, qu'est-ce que je ferais ? J'irais pleurer dans mon coin ? Ce n'est pas ma nature. J'ai des amies à qui c'est arrivé aussi, et elles paient très cher un psychiatre, parce qu'elles croient qu'elles sont malades, qu'elles n'osent pas, je ne sais quoi... Je tâche de les emmener avec moi » (institutrice, Lyon).

Certes, ces clubs ne concernent que quelques grandes villes et surtout une catégorie sociale capable de payer une contribution souvent importante. Contribution qui permet à certains de dire « que ça élimine des gens qu'on ne veut pas voir, des gens qui ne s'occupent pas de cinéma ou de théâtre, par exemple, parce que c'est ça, moi, qui m'attire » (cadre de banque, Sud-Ouest). « C'est justement parce que ça se dit culturel, que ça éloigne des nouveaux riches qui pourraient payer, mais que ça embête de parler de tout cela. Il y a avec nous des gens modestes qui se saignent aux quatre membres. C'est plus intéressant pour les rencontres » (enseignant, Paris).

Quand on se donne une image élitiste de la culture, il est difficile de comprendre l'enjeu de ces rencontres : le partage de valeurs réservées à un petit groupe de privilégiés est une revanche sociale et psychologique. Il ne s'agit évidemment pas de ce qu'on a nommé un « art moyen », sans quoi il faudrait récuser l'immense et intense attention, évidemment dispersée en petits groupes, qui se développe en marge de ces clubs, de ces cercles de photographes ou d'amateurs de cinéma. Toutes ces rencontres n'aboutissent pas nécessairement à des relations sexuelles, elles révèlent, par leur nombre, que la « libido » est peut-être moins importante que le besoin de sociabilité et que, sans cette sociabilité, la « libido » s'épuise d'elle-même en frustration ou en violence.

Hors de ces maigres lieux de réunion, la vie actuelle n'offre point d'espaces de rencontre ou de rassemblement, encore moins de ces fêtes où les hommes et les femmes venaient consommer ensemble le hasard de rencontres et une intense participation à la solidarité. Alors commence le rôle de l'intermédiaire recherché, de l'instance sociale, fantôme de la collectivité : la marieuse. Que lui demande-t-on ?

« Les gens ne veulent pas tellement se prendre en charge dit cette conseillère, les parents démissionnent devant leurs enfants. Les gens qui viennent me voir ont tous envie de parler parce qu'ils ne connaissent aucun endroit où ils pourraient le faire. Ils veulent se confier et ne savent pas toujours le faire. Cela peut être un psychiatre, un psychanalyste et ils peuvent payer pendant des années pour se faire entendre. En plus de les écouter, je leur permets de se reprendre en charge et d'avoir une chance de régler leurs rapports avec une femme ou un homme. »

Une oreille qui écoute dans un monde où l'on n'a aucune chance d'être entendu, où le mur des média interdit la communication vivante. Il est possible que la conseillère matrimoniale ait pris, en partie, la place du confesseur chrétien, que la dissolution d'une certaine famille d'origine rurale encore dominée par les valeurs du patriarcat ait laissé l'individu en tête-à-tête avec lui-même, qu'une certaine quantité de liberté abstraite soit insupportable...

Il est cependant remarquable que la plupart des clients jeunes des agences ne soient pas frustrés sexuellement. « Ce sont des garçons et des filles qui ont tous eu des aventures, mais ce n'est pas cela qu'ils cherchent. » « J'ai vu des scènes cocasses : des garçons et des filles qui s'étaient bien connus aux bals des samedis soirs, bien connus, et qui se retrouvent clients de l'agence : ce qu'ils trouvaient au bal ne les satisfaisait pas ! »

Quelle société laisse à ses jeunes le libre choix du partenaire sexuel pour le mariage ? Les règles impérieuses de la parenté valent encore ici et là, au-delà des aventures ou des flirts poussés. La morale n'a rien à voir là dedans, bien plutôt le prestige de la société, parce que la société semble disposer de la longue durée si le plaisir dispose de l'instant. D'ailleurs, s'agit-il de mariage seulement ? Et non plutôt d'une compensation à la solitude créée par l'organisation technologique du monde ? Une affectivité retenue, contenue, pousse les uns et les autres à demander à la marieuse d'accomplir, au nom d'une société devenue anonyme, ce que ses ancêtres demandaient à la tradition : une intégration à la vie commune. Mais cette fois il ne s'agit pas seulement de répéter un modèle ancestral ; ce qu'on demande au mariage, ce n'est pas la nuptialité, mais l'échange d'une substance affective, de plus en plus désirable...

On peut voir, si l'on examine la clientèle de ces agences, que ce besoin de communication est commun à tous les clients, de toute condition et de tout âge. Ainsi, sur un échantillon de 200 personnes, on dénombre 46 % d'hommes et 56 % de femmes : 31 % des hommes se répartissent entre 25 et 55 ans, 36 % des femmes dans la même classe d'âge.

Parmi les professions masculines, on trouve 2 salariés agricoles, 1 patron de petite entreprise, 6 cadres ou professions libérales, 20 cadres moyens, 12 employés, 4 ouvriers, 12 artisans, 10 commerçants, 18 retraités, 6 militaires, 10 inactifs ou chômeurs. Pour les femmes, on trouve : 6 cadres supérieurs, 12 cadres moyens, 32 employées, 10 ouvrières, 2 artisans, 10 retraitées.

Répartition qui, compte tenu du caractère de « chaîne » couvrant, d'une succursale l'autre, l'ensemble du pays, a de fortes chances de correspondre à la demande. Notons que les proportions les plus fortes chez les hommes et chez les femmes (cadres moyens, artisans, employés) concernent précisément ceux qui ne disposent pour ainsi dire d'aucune « structure d'accueil », d'aucun lieu de rencontre fréquentable ou accessible. « Nous en avons de partout, dit une conseillère, mais nous ne les retenons pas tous : il y a nombre de gens qui viennent nous voir parce qu'ils nous prennent pour une maison de rendez-vous, et ceux-là nous ne les revoyons pas souvent, ou les tarés, les malades, incasables, que nous revoyons souvent et pour lesquels nous ne pouvons rien. » Ces derniers ne figurent pas dans notre dénombrement...

Plus intéressant est de savoir ce que les uns et les autres considèrent comme des qualités nécessaires chez leur partenaire pour réaliser l'échange qui les arrachera à la solitude. Or, en premier lieu, et presque généralement, les femmes placent en tête des qualités exigibles d'un homme : la tendresse, la douceur et l'affection. Et nous retrouvons exactement dans la même proportion (80 %) la même demande chez les hommes.

C'est bien après que les femmes espèrent rencontrer (dans l'ordre) une « bonne présentation », une « bonne moralité », l'intelligence, le dynamisme, le sport ou non.

La « bonne éducation » et la beauté physique n'interviennent que pour 5 ou 6 mentions, et pas une seule fois la beauté physique.

Quant aux hommes, l'aspect physique intervient presque partout ainsi que le « bon milieu », le dynamisme ou la « bonne moralité ». Il n'est pas une seule fois question de salaire ou d'argent. Une mention spéciale et insistante émerge toutefois aussi, « aimant les enfants ».

Ce sont, en effet, des stéréotypes, mais il faut alors se demander sur quels autres modèles, dès que l'on quitte le domaine des livres de psychologie, d'un certain cinéma intellectuel et la littérature, vivent d'une manière générale les hommes et les femmes. Que le stéréotype dominant soit la tendresse et l'affection, ce qui n'aurait pas été le cas voici une vingtaine d'années, est déjà singulièrement révélateur. Les mots, après tout, n'ont pas le sens que leur donnent les clercs dans leur milieu propre, mais celui que leur donnent des hommes et des femmes qui se servent de ces images comme autant de catalyseurs d'une expérience possible, désirée...

Il est aussi trop simple de voir dans cet attrait pour le mariage une justification de l'« ordre social ». Les études statistiques donnent cette impression et confortent la « bonne conscience » conservatrice, mais l'enquête force à plus de nuances : les institutions, en fin de compte, ne sont pas ce que les ont faites les générations précédentes (où nous sommes tentés faussement de trouver sagesse et légitimité) mais ce que les individus vivants en font et comment ils les « détournent » à leur profit. De ce mariage, représentation de l'ordre traditionnel, il semble que confusément, les hommes et les femmes interrogés fassent aujourd'hui l'instrument d'un échange affectif et d'une communication qui n'a pas encore trouvé ses mots. Et, qui sait ?, c'est peut-être par l'usage différent qu'une génération fait d'une institution reçue, qu'elle a quelque chance de la transformer. On ne peut pas ne pas tenir compte de ce changement, de ce passage de la sexualité au « triomphe de la sensibilité ».

La complicité

La solitude est sans doute un problème social. Mais qu'en est-il des autres, entrés plus ou moins bien dans la vie ? Comment perçoivent-ils le système des sentiments, des idées et des valeurs qui compose leur existence quotidienne ? C'est ce tout-venant de la vie que nous avons maintenant cherché à connaître...

Et tout de suite, cette remarque : dans aucune des réponses qui nous sont faites (sauf 11 ou 12) n'apparaît le mot « amour ». Encore moins le mot « passion ». Inlassablement reparaît ce terme d'« affection » ou encore celui d'« attachement » — comme si la population active, responsable de son existence cherchait, au-delà des mots, à expérimenter une région affective moins marquée par la littérature ou le théâtre.

On dirait, et plusieurs réponses nous y mènent, que la passion, cette détermination absolue et exclusive qui emplit les pièces de théâtre, les films qu'on voit ou les livres qu'on lit, était perçue comme une réalité vraisemblable, probable, mais à laquelle on ne s'identifie pas. « J'aime bien voir des films à la télé où il y a de grandes passions, et je sais bien que c'est à cause de ça que je les regarde, mais ça, ça n'existe qu'à la télé ou dans les livres » (employé, Sud-Est). Ou bien : « J'ai lu des tas de livres comme tout le monde, je crois, et on y trouve justement ce que vous demandez là — la passion, l'amour avec un grand A. J'aime lire ces livres, oui, mais je ne vais pas me mêler de ça » (instituteur, Paris). Ou encore : « Chaque fois que je vois un film où il y a une passion, j'aime bien, mais je n'arrive pas à croire que ça me concerne » (employée, Centre).

Affaiblissement de grands modèles qu'on ne cherche plus à imiter : « Oui, je veux bien, les grands amours dans les films américains et le baiser final qui veut dire éternité, ou encore dans le théâtre d'autrefois, Roméo et Juliette et tutti quanti... Mais de là à tenter de ressembler à ces gens, il y a une marge » (employé, Ouest). « Quand j'étais jeune, j'ai dévoré des romans-photos où l'on parlait de passion à toutes les pages : on voulait nous faire croire que tout cela était éternel. Je ne crois pas que ce soit fait pour moi, mais j'aime bien les lire » (employée, Centre). « J'ai lu à l'école des pièces où les gens s'aiment éperdument et plus rien n'existe, et ils vont mourir pour ça. Où est-ce qu'on a pris que l'amour, c'était la même chose que la mort ? J'ai lu un jour un article là-dessus. Je pense que le type se montait la tête, et je ne me vois pas aller en parler avec mon mari » (infirmière, Sud). « Je pense, dit cet étudiant, péremptoire (Centre), que l'amour est une invention pour faire vendre les livres, un truc commercial et qui sert en fin de compte la société capitaliste. »

Imitation. Un grand mot qui n'a jamais été éclairé depuis les premiers efforts de Gabriel Tarde pour en élucider le sens. Freud n'en fait-il pas le principe d'identification ? Mais il doit y avoir quelque chose d'autre, puisque cette imitation peut rester spéculative pour les lecteurs ou les spectateurs, sans engendrer ni ressemblance ni identification. Voici une vingtaine d'années, Edgar Morin dans son livre sur *Les Stars* [1] estimait que le culte des vedettes pouvait, dans une certaine mesure, enrichir et élargir la vie psychique de personnes que leur situation sociale tenait à l'écart de toute possibilité de réalisation effective. En somme, que l'expérience imaginaire était capable d'enrichir

1. Le Seuil.

l'existence réelle. Cela n'est pas impossible, mais nous n'avons rencontré au cours de cette enquête aucune figure, aucune matrice qui pût ainsi servir de projection à une expérience individuelle. Au contraire, le plus souvent, la méfiance. Ou, dans le meilleur des cas, une mention d'estime sans regret.

« On parle de ces passions, oui, de l'amour, mais aujourd'hui, est-ce qu'il n'est pas possible d'être ce qu'on est et d'accomplir son désir sans passer par toutes ces simagrées ? Il est possible que ce soit l'invention des romanciers à une époque où on ne pouvait pas aimer qui on voulait, au moment où il y avait un tas de barrages. Où sont-ils aujourd'hui les barrages ? » (enseignant, Paris). Avec moins d'intellectualisme, un cadre moyen (Nord) dit qu'« il a toujours été frappé par la différence qu'il y a entre ce que nous dit le roman ou ce que nous montre le cinéma ou la télé et la vie qu'on mène. On veut bien leur dire : oui, oui, ou : pourquoi pas ? Mais ça s'arrête là... » Ou cet ouvrier de l'Est : « Des romans, je n'en ai pas lu beaucoup, forcément, mais des films j'en ai vu à la télé ou au cinéma. J'aime bien ça, mais ce sont des gens qui n'existent pas. Je ne dis pas que ce n'est pas vrai, je dis que ça serait drôle si on se mettait à faire comme eux dans la vie qu'on mène. »

Effet singulier des média que cet affaiblissement de l'imitation des modèles passionnels ? Il est vrai que les sens se sont émoussés devant le spectacle des « étranges lucarnes », à force de catastrophes et de désastres représentés, qu'aujourd'hui les cadavres d'Auschwitz ne susciteraient pas plus de révolte que les morts du Sahel ou les mutilés d'Argentine [1]. Lors d'études précédentes sur le théâtre [2], il

1. Il a fallu le sentimentalisme des films d'*Holocauste* pour éveiller quelque souvenir ou indignation du massacre nazi.

2. *Sociologie du théâtre, les ombres collectives,* (P.U.F.).

m'était apparu que l'« universalité classique » du théâtre du XVIIe siècle et la « vision du monde » qu'on voulait y voir n'avaient, en leur temps, concerné que 5 à 6 000 personnes, dans le meilleur des cas. Le même éloignement vis-à-vis de la passion de Phèdre ou de Chimène ne se retrouve-t-il pas aujourd'hui, en un temps où, comme le disait Malraux, après W. Benjamin, la reproduction des œuvres d'art permet à tout homme, soit personnellement, soit par les organismes spécialisés (maisons de la culture, etc.) de constituer son « musée imaginaire » ? Ceux qui s'avisent de parler de « culture » devraient réfléchir à cet effet d'éloignement que Brecht avait prôné comme une esthétique et qui n'est qu'un banal constat d'indifférence. Certes, le paysan contemporain du Roi-Soleil n'aurait pas eu d'oreilles, si le hasard l'y avait conduit, pour entendre la voix d'Andromaque et, s'il y était parvenu, il n'y aurait vu qu'un « divertissement de prince ». Shakespeare dans *Le songe d'une nuit d'été* ne montre-t-il pas des artisans ou des bourgeois (« le peuple ») incapables de représenter les sentiments tragiques, réservés à l'élite du pouvoir ?

Tout le monde a accès à la représentation esthétique de la passion, tout le monde peut lire un roman où l'amour s'impose comme une fatalité. Ceux qui le font, ceux qui accèdent au théâtre ou à son prolongement cinématographique ou télévisé accordent une attention sincère à ces conflits, mais ils les perçoivent comme étrangers à eux-mêmes. Il ne s'agit pas seulement de vie sexuelle ou sentimentale, mais aussi de ce qu'on nomme culture, dont on peut se demander si elle plonge des racines dans la conscience commune...

Affection, donc, ou attachement... Qu'il s'agisse de longue durée chez des personnes mariées et qui ne songent pas à rompre les liens établis, qu'il s'agisse de liaison libre ou qu'il s'agisse de célibataires qui affirment leur liberté ou leur goût du libertinage, c'est à cette qualité qu'on se réfère. « Attachement de longue durée » (employé, Ouest). « Attachement, autre chose que la satisfaction d'un désir, sûrement pas un caprice » (commerçant, Centre). « Affection dans le mariage et pour une longue durée » (professeur, Sud-Est). « Affection et mariage de longue durée » (femme employée, Centre). « C'est certainement par affection que je me suis mariée sans être mariée » (musicienne, Ouest). « Chaque être est unique et mon mari est différent de moi : je crois que nous nous sommes mariés par affection, pour une longue durée » (commerçante, Sud). « Par affection et une longue liaison semblable au mariage » (ouvrière, Paris). « L'amour, c'est un attachement de longue durée et surtout pas un caprice. Mais je ne suis plus mariée en ce moment » (institutrice, Centre). « C'est un attachement sans mariage et qui dure depuis dix ans » (secrétaire, Paris). « Une affection de longue durée, de la tendresse » (employé, Nord). « Quand on vit avec quelqu'un et qu'on se sent bien, il arrive qu'on s'engueule de temps en temps... Les rapports que j'ai avec ma femme ne sont pas simples, mais je crois que, d'une certaine manière, par affection, on s'entend bien » (enseignant, Ouest).

Dans ces réponses d'hommes et de femmes de plus de 30 ans, enracinés dans la vie active, l'idéalisation fait place à une sorte de pragmatisme sentimental et fait appel à de multiples arrangements qui nous éloignent des grandes violences de la passion.

On dirait même que l'amour ou la passion concernent surtout la psychiatrie, et que l'absolutisme des grands sentiments apparaît comme une maladie — maladie admise en littérature et au théâtre, au cinéma et à la télévision, mais inacceptable dans la vie quotidienne : « J'en ai connu des gens qui se laissaient aller à cela [les grands sentiments], et presque toujours ça a fini plutôt mal, chez le médecin, ou plus mal encore » (ouvrier, Est). « Un jour, un type m'a fait le coup de la passion, et du grand amour, et tout... J'ai été prise au piège, mais après j'ai compris : ce n'était pas une affaire, enfin, tu me comprends. Je crois qu'il faisait ça, justement parce qu'il ne pouvait pas. Un médecin l'aurait mieux aidé que moi » (employée, Paris). « On ne sait jamais comme ça se termine quand on part avec ces choses où les gens vous disent tout ou rien. Généralement, ce n'est rien et quand on gratte dessous, ce sont des tarés » (cadre moyen, Est). « On ne pourrait pas vivre comme ça : tu imagines, tous les matins, la femme qui te parle du grand amour ou qui va aller te faire vivre tout seul avec elle ? On rencontre de temps en temps des cinglées comme ça » (apprenti, Paris).

La grande passion est perçue comme un trouble mental : sans doute une incertaine connaissance vulgarisée par les média est-elle responsable de cette vue sommaire. Il y entre aussi une sorte de peur devant les situations absolues, le « tête-à-tête de l'individu et d'un Dieu sans concession » que l'on prête au jansénisme et qui a trouvé son expression en littérature. « Je ne crois pas que je pourrais rester plus d'une semaine avec un homme qui me sortirait à tout bout de champ sa passion ou son absolu, son amour, etc. C'est bon dans les chansons ou dans les films, mais qu'est-ce que je ferais avec ça dans ma petite vie à moi ? Je crois que j'aime bien être heureuse et je ne suis pas sûre que ces histoires ne soient pas des sortes de maladie » (infirmière, Centre). Plus rationnelle, cette enseignante explique ainsi un échec sentimental : « Nous étions très jeunes tous les deux, à la faculté, on a pensé que c'était le grand amour et que nous allions vivre comme ça, en passant à travers tout, le monde et le reste... On est partis en Italie, on a eu des histoires d'argent l'un et l'autre. Lui, il ne voulait rien faire et il disait qu'il voulait vivre seulement de sa passion. Moi, je sortais de la littérature, et de tout ce que j'avais lu. J'y ai cru. Un soir, il est parti avec une autre bonne femme. Je suis restée sur le sable. De toute manière, je ne nous voyais pas vivre et travailler avec ça. J'avais à la fin l'impression qu'il avait la tuberculose... Notez que je suis contente que ce soit fini. Heureusement, tous les hommes ne sont pas, comme lui, gangrenés... »

Il est possible que les Français d'aujourd'hui voient la passion comme leurs ancêtres — la spécialité d'une élite dont les sentiments sont compréhensibles mais non imitables. Ni même désirables. La seule différence étant que l'on rejette vers la névrose — concession à la mode — ce qui paraît étranger à la vie quotidienne.

Le désir « rétro »

Mais d'autres idéalisations n'apparaissent-elles pas ? Et surtout chez les très jeunes et les hommes et les femmes qui ont aujourd'hui 30 ans ?

Deux enquêtes partielles faites auprès de jeunes étudiants de toute origine sociale, dans une ville du Centre et à Paris apportent d'autres compléments. Certes, il s'agit de garçons et de filles de 20 ans en moyenne et qui sont tous avertis, de même qu'ils semblent tous avoir eu déjà des aventures plus ou moins réussies. Mais tous et toutes mettent en avant comme leurs aînés l'affection, la tendresse en y ajoutant, parce qu'ils sont frottés d'intellectualité, « l'authenticité » et le respect de l'autre. Une seule mention de la « passion »...

L'union par intérêt est bannie autant que l'institution « bourgeoise » du mariage dont on évoque parfois la nécessité mais que l'on réduit à une simple formalité, équilibrée par la facilité de la séparation, voire du divorce. On trouve ici une relation saisissante entre la tendresse et le plaisir et la « complicité », qui est donnée comme un élément favorable à la réussite sexuelle. Ajoutons-y — mais nous retrouverons plus loin cet élément — le ferme propos de réussir une union, fût-elle passagère — le caractère périssable de l'aventure est ici, à cet âge, toujours postulé — dans le cercle d'amis qui partagent des croyances ou des valeurs semblables.

Là n'est pas l'intéressant, mais dans la valorisation ou l'exaltation péremptoire d'un autre absolu qui peut-être, pour cette génération, remplace l'« amour » de leurs aînés — le désir. Pas une seule des réponses n'évite le recours à ce « désir » considéré comme « primordial », « nécessaire ». « Sans désir, qu'est-ce que tu veux que donne une rencontre ? » dit l'un d'eux. Et une jeune fille : « Nous savons maintenant que le désir est la chose la plus importante et qu'il s'agit d'abord de le réaliser. » « On sait ce qu'est le désir et c'est ce qui nous rapproche si l'aspect physique est possible » dit une autre. « C'est ce qui nous oppose à la société capitaliste et marchande, le désir : mariage ou pas, c'est du pareil au même » (étudiant, Centre).

Une conversation plus longue voit émerger les thèmes chers à Reich ou, mieux encore, le mythe des « machines désirantes ». On a lu, sans doute rapidement quelques livres, mais on a retenu de ces lectures l'élément le plus apparemment perturbant pour l'« ordre social », le désir. Subversif et salutaire à la fois, il est un recours et une justification : « On tient ou on ne tient pas à quelqu'un, homme ou femme, c'est l'affaire du désir » (étudiant, Paris). « On peut dire qu'on est volage comme autrefois : c'est que le désir n'est pas fixé et chercher jusqu'à ce qu'on le trouve. C'est ce qui nous sépare du monde bourgeois : si quand on est avec un type, on voit que ça ne marche plus, il faut se remettre à chercher. Notez que pour moi, ce n'est pas le cas et j'ai cette union avec X qui nous suffit pour le moment » (Paris).

En fait, la plupart de ces jeunes gens parlent du désir comme on parlait au siècle dernier de l'amour ou de la passion. Qu'un certain « bovarysme » en soit le résultat, n'est pas niable, qui entraînera cette frustration et cette solitude qu'on trouve plus tard chez les clients des agences matrimoniales. Du moins, ce désir a ici tous les caractères de l'absolu – pulsion originelle, retour offensif de la nature dans la culture, principe du plaisir...

Le plus surprenant est que l'on retrouve ce mythe – car il s'agit d'un mythe – chez la plupart des hommes et des femmes interrogés et qui ont aujourd'hui une trentaine d'années. Plus aucune mention n'est faite à ce sujet chez ceux qui dépassent les 35 ans. Et même si une série d'échecs a sanctionné la poursuite de ce fantôme réalisé dans l'orgasme subversif et explosif. « Je me suis mariée avec ça dans la tête, et on s'est séparés parce que l'on a reconnu que chacun avait le droit de s'ouvrir ailleurs. On se voit de temps en temps. J'ai une autre liaison, et je ne sais pas ce que je ferais si je devais ressembler à toutes les bonnes femmes : mari, popotte et le reste » (employée, Centre). « Pour ce qui est du choix, on peut dire que ce n'est pas brillant par ici, et j'ai eu deux liaisons mais avec des filles qui étaient comme moi. Il n'y en a pas beaucoup. Souvent, elles veulent des enfants. Je ne dis pas non pour les enfants. Ça aussi, c'est le désir qui le dit, mais pour le moment j'attends » (employé de banque, Sud-Est).

« Je pense que ça équilibre, et avec X, depuis cinq ans qu'on est mariés, on ne s'est jamais posé le problème d'autre chose, parce qu'on s'est trouvés ainsi et que le désir tient toujours » (instituteur, Ouest). Certains formulent même une différence entre le désir et le plaisir : « Tu vois, il y a des années, je me disais que tout ça ne s'attachait à rien de particulier, du moins pas à une seule personne. J'ai cavalé pendant des années, et je pense que j'ai gaspillé pas mal d'énergie et que j'avais trouvé une ou deux fois des filles avec qui le plaisir, ça marchait bien, mais je me disais qu'il ne fallait pas s'arrêter. Une sorte de maladie en somme. Je ne dis pas que je suis guéri, si c'est une maladie, je dis que je suis gêné chaque fois que je me dis : tu vas rester avec celle-là, parce que ça marche bien avec elle et elle avec toi. Et puis, je ne sais pas. De moins en moins, mais je me dis toujours qu'il y a autre chose et que le plaisir, oui, mais à condition de ne pas s'arrêter : jouissance bourgeoise comme on dit sur les affiches » (profession libérale, Ouest). Et, plus complexe ou plus tourmenté, cet ancien Parisien, fonctionnaire dans une ville du Sud-Ouest : « Tu vois, j'ai essayé des tas de choses. Je peux dire que je n'ai pas laissé de côté quelque chose. Avec des hommes, une ou deux fois, et avec les filles... On a appris ça avec Reich. Je ne suis pas déçu. J'ai bien virevolté, et je suis revenu avec la fille que j'avais connue avant. »

Il est possible que le désir ainsi sublimé devienne avec le temps ce que fut la « passion romantique » : que feront ces hommes et ces femmes, de cet absolu, en vieillissant ?

Sans chercher la justification de ce désir, d'autres traitent la recherche du plaisir sexuel pour lui-même, avec une grande franchise : « Je suis dragueur, voilà plus de dix ans que je drague. Je me suis demandé si ce serait la même chose au cas où je resterais avec la même femme, mais j'ai besoin de changer » (employé de banque, Ouest). « Je ne sais pas, je n'en fais pas une littérature, mais c'est vrai que je cherche les femmes là où je peux en trouver, jamais des filles qui se vendent ou qui se louent, des femmes avec qui on peut parler et vivre un peu » (libraire, Paris). Ou encore : « Il me semble qu'il faut suivre son désir. C'est plus difficile pour une femme parce qu'on va tout de suite la juger mal. On est toujours relativement surveillée. Mais si c'est nécessaire, on donne des rendez-vous dans une grande ville, Lyon, Paris » (infirmière, Nord).

Vers 30 ans, 35 ans, certains hommes s'affirment

« performants ». Non pas au nom du désir mais au nom de l'image qu'ils se font de leur rôle de mâle, voire de la dignité masculine : « Dans ces affaires-là, il faut être tout le temps en mouvement, sans ça, on vieillit vite ! » (employé, Sud). « Moi, c'est en été que je me place auprès des étrangères. Peut-être pour défendre nos couleurs, comme au foot » (artisan, Centre). Ou encore : « Il y a des chiffes molles partout, mais moi je suis de ceux qui démontrent ce qu'ils sont quand ils sont au lit » (ingénieur, Paris).

Souvent le libertinage se justifie par un alibi régionaliste : « Nous autres occitans, nous autres Bretons... Ici, dans le Nord... » Il en était ainsi pour ces « taureaux d'usine » du temps de Zola ; le plaisir est moins recherché, semble-t-il, que la valorisation de l'image qu'on se donne de soi. On constate aussi une réelle désaffection pour les films pornos : « J'en ai vu une ou deux fois, ça n'apprend pas grand-chose » (employé, Midi). Un ouvrier assure qu'il est allé en voir « avec des amis pour rire, mais ça ne va pas très loin ». Plusieurs fois, on nous dit : « C'est plutôt pour les très jeunes ou pour le troisième âge, pour apprendre ou pour se souvenir, pour nous, je ne crois pas... » Un enseignant (Paris) ajoute : « Ce sont des images, très belles souvent comme dans *L'empire des sens*, mais l'image c'est loin du corps. On ne fait pas l'amour avec des images. »

Les ruses du couple

Revenons à ces couples qui donnent l'attachement ou l'affection comme la seule valeur compatible avec l'équilibre, voire le bonheur. Qu'en est-il pour eux des différences d'idées inévitables, en religion, en politique, en préférences plus ou moins esthétiques ? Cette tendresse est-elle compatible avec ces mille tentations de la vie quotidienne, le désir fugitif ou non pour un étranger, une étrangère ?

« Je préfère que chacun choisisse sa liberté, dit une employée de commerce (30 ans, Ouest) parce que chacun a son idéal et qu'il n'y a pas d'idéal unique. » Pourtant, elle n'admettrait pas que son mari soit attiré et séduit par une autre femme, « surtout une de mes amies, sans m'en avoir parlé. Enfin, même comme ça... De toute façon, moi, je ne réponds jamais aux avances... » Ou cet employé de 40 ans (Paris) qui ne « trouve pas évident que sa femme ou lui soient attirés par une personne étrangère » et qui accepterait parfaitement que sa femme ait des idées différentes des siennes « sauf en religion ». Un employé (35 ans, Paris) assure qu'il « se sent attaché à une partenaire par le seul fait d'être marié », mais qu'il lui arrive « d'engager la conversation, mais jamais systématiquement, avec des étrangères qui l'intéressent ». Il ajoute : « Je pense que l'attrait de l'inconnu me donne un désir plus grand. »

Cela se résout dans le mariage : « On a le droit de rêver à des gens différents, ce n'est pas mauvais pour la vie du couple », dit cet instituteur (Centre) ou cette infirmière (Paris) : « J'ai une liaison durable avec mon ami, mais je suppose qu'il pense parfois à quelqu'un d'autre comme ça m'arrive aussi : ça ne va jamais plus loin. Je ne crois pas que ce soit mauvais. C'est autre chose, si j'allais dans un hôtel avec quelqu'un que je ne vais pas connaître du tout. Ce n'est pas parce que je suis bourgeoise, simplement parce que je ne vois pas pourquoi j'irais dans le lit d'un type parce qu'il m'a plu comme ça, en passant dans la rue. Je préfère ne pas être déçue et garder ce que j'en pense pour moi. » Ou cet employé du Midi qui estime que « les excitations extérieures lui donnent plus d'élan avec sa femme. Comme ça, je lui ai dit un jour qu'elle était ma maîtresse, si l'on veut ! »

Une cinquantaine d'avis plus nuancés — ou moins hypocrites : « Le mariage n'a rien d'absolu. Si j'ai envie ou si elle a envie, on peut en discuter ; mais je veux en discuter : ça évite des scènes et des ennuis » (employé, Midi). Ou bien : « Quand on s'est mariés, on a décidé de garder notre liberté dans le mariage et d'avoir des histoires en dehors si on y tenait vraiment. Jusqu'ici, ça n'a pas trop mal marché, et tu ne vas pas remettre ton couple en cause parce que tu as rencontré une minette » (enseignant, Ouest). Ou bien encore : « On est un couple libre. Ça n'est pas toujours facile. On se dit tout, d'accord, mais je me demande si on ne joue pas un peu au billard : un pour moi, un pour toi. Il y a les enfants et tout le reste, ça a tendance à ralentir » (cadre moyen, Ouest).

Ce sont des cas extrêmes — réussite ou échec, ou même « histoire qu'on se raconte ». Forfanterie peut-être. Bien qu'en général les hommes reconnaissent plus aisément « qu'ils sont dragueurs » ou « coureurs » que les femmes ne revendiquent leur liberté sexuelle. Entre aussi dans ces réponses une part importante des stéréotypes traditionnels de la masculinité, même si les performances rêvées ou parlées sont rarement réalisées. Alors, plus hypocrite, la femme ? Ou plus rusée. Ceux qui aiment le plaisir ou la diversité des occasions en dissimulent les pratiques, et ce que l'on sait ici et là de la vie réelle des personnes interrogées dément parfois leurs réponses...

C'est à l'évocation possible de l'attirance d'une personne étrangère au couple, qu'il est possible d'accorder une certaine crédibilité. Et l'ensemble de ces réponses permet de définir trois éthiques différentes, et cela presque à égalité des hommes et des femmes des alentours de 35-45 ans...

D'abord ceux et celles qui nient avoir jamais laissé pénétrer en eux le désir pour un étranger ou une étrangère et qui « ne pensent pas » que leur conjoint puisse, de son côté, ressentir ce désir. Comme il nous est arrivé de questionner séparément les deux protagonistes, on peut s'assurer que certaines réponses concordent, qui ne dépendent ni de l'âge, ni de la condition, ni du lieu.

« C'est une idée qui ne m'est jamais venue et qui m'aurait blessé, et je pense que c'est réciproque de la part de ma femme » (cadre moyen, 35 ans, Paris). Pourtant, il est divorcé mais engagé dans une nouvelle liaison et la première rupture n'a rien à voir avec la sexualité. Ou cette enseignante (Ouest) : « J'accepte mal si ça doit arriver. » « Ça me ferait très mal si cette personne n'était pas mon mari » (institutrice, Centre, 38 ans). Ou cette ouvrière de 27 ans qui n'admet pas une seconde l'idée que son mari ou elle-même puissent être tentés par une aventure extérieure. Le mari ne pense pas autrement. « Je n'aimerais pas tellement, dit un commerçant (Sud-Ouest) et ma femme pas tellement non plus : on ne pense pas à ça. » Ou cet employé qui « se sentirait exclu et sa femme, sans doute aussi, de la même manière ». Réponse analogue chez sa partenaire. Et ce commerçant (40 ans, Paris) : « Qu'on soit attiré par quelqu'un d'autre, je le comprends difficilement, quoique ça puisse être excitant et attrayant, mais ça ne ferait sûrement pas plaisir à ma femme et ce serait pour nous deux des problèmes et des ennuis. »

Un petit nombre d'hommes (qui tomberaient sous la définition du « phallocratisme ») nient également ce genre de tentation, « parce que ma femme n'en aurait pas l'idée et que je lui suffis complètement » (employé, Paris). Ou bien « parce que ce serait si difficile pour elle, comme pour moi, que je ne vois pas qu'elle aille chercher ailleurs ce qu'elle trouve chez moi » (cadre moyen, Paris). Ou encore : « Quand on s'est mariés, on a été d'accord sur ça, dès le début : je n'ai pas besoin de l'imaginer, c'est absolument impossible pour elle, d'abord parce que tout le monde le saurait avec le métier que l'on fait ici » (commerçant, Midi). Ou enfin : « Je crois que je lui suffis et le reste, c'est des histoires qu'on se raconte » (employé, Nord).

Une autre option est celle des hommes et des femmes qui acceptent les uns et les autres que le conjoint soit tenté par une personne étrangère, et qui se justifient. Il y en a à vrai dire assez peu, 60 sur toutes les personnes interrogées : « Oui... Oui, je suis attiré parfois... Je n'ai pas tellement le tempérament dragueur, mais enfin, je ne sais pas, je trouve qu'on peut avoir des relations avec des gens. Pas seulement des relations sexuelles. Je me sentirais bien avec quelqu'un en discutant, en passant un moment. Finalement l'attirance, ce n'est pas seulement l'attraction sexuelle, même si ça y aboutit... Ça m'amuse de rencontrer des femmes que je trouve jolies... Pour le plaisir. » Et le même enseignant (Ouest) accepterait que sa femme soit, comme lui, attirée par un étranger : « Ben oui, c'est humain... On en a déjà discuté ; elle m'a dit que si ça m'arrivait, elle serait malheureuse, et je veux bien le croire. » Et cette employée (Centre, 35 ans) qui est engagée dans une longue liaison régulière : « Je pense que j'ai évolué dans ce domaine... Lui, il l'accepterait difficilement, mais dans la mesure où nous ne sommes pas mariés, lui étant marié de son côté, il ne peut rien me dire, du moins, je le pense. »

« Je comprendrais qu'il soit attiré, dit cette secrétaire (30 ans, Ouest), mais je ne l'accepterais pas facilement ; de son côté, il ne l'accepterait pas et réagirait sans doute très mal, comme moi-même. » Elle ajoute pourtant, comme un doute lointain : « Je pense qu'il me serait possible d'avoir une aventure, tout en aimant mon mari, mais je ne souhaiterais pas qu'il le sache. » Ou cet employé (46 ans, Centre) qui accepte l'idée que, dans son couple, l'un des deux soit attiré par une personne étrangère, mais qui estime « qu'il faut conformer les discours aux pratiques, et c'est une autre affaire : il n'est pas évident que l'un et l'autre l'acceptent de gaîté de cœur ». Et cet employé de 30 ans (Paris) : « Oui à l'attirance... Je pense que ça lui serait indifférent, et d'ailleurs l'attrait de l'inconnu donne un désir plus grand. »

Une sorte de casuistique s'instaure dans le troisième cas, lorsqu'on admet la liberté sexuelle intérieure à un couple, mais qu'il s'agit de lier ces principes à la réalité affective : « Je suis pour, mais j'accepte mal quand ça m'arrive de l'autre côté... Oui, toute liberté a son prix. Il faut savoir ce qu'on veut... Mon mari jouit de cette liberté : maux d'estomac pour lui ; de mon côté, de fait, beaucoup de jalousie. J'ai un grand désir de fidélité réelle, mais je comprends la liberté » (enseignante, 38 ans, Ouest). Cet employé (35 ans, Ouest) pense que la liberté et son exercice imposent une sorte de ruse : « Si je suis attiré par quelqu'un, je m'arrangerai pour qu'elle n'en sache rien, et j'espère qu'elle fera de la même façon. Je préfère ne pas savoir. Et je préfère qu'elle ne sache pas. »

« Oui, tout cela est souhaitable, maintenant, je l'accepterais. C'est possible et pas souhaitable. Cela dépend de la structure du couple. Mais je préfèrerais qu'il ne reste pas de trace » (employé, Ouest). Et cette vendeuse (35 ans, Centre) assure qu'elle accepterait d'avoir une liaison hors mariage « à condition que personne ne le sache ». Ou cette enseignante (Paris, 38 ans) : « Il faut l'admettre en principe, et cela dépend de l'attirance. La réalité serait sans doute brutale pour tous les deux, malgré les principes. D'ailleurs, je n'ai pas le temps... » « Si ça m'arrivait, il serait certainement jaloux. Il est d'un naturel jaloux mais pudique, et il est tolérant. Je crois qu'il est différent d'être attirée par son mari et une personne étrangère. On parlerait ensemble de tout cela, mais je préférerais de mon côté ne rien savoir » (employée, 30 ans, Paris). Quant à cette artiste mariée à un artiste (Paris), elle accepte que son mari soit attiré par une personne étrangère : « Il penserait comme moi que j'ai le droit d'être attirée par une personne étrangère mais je préfère qu'il se cache pour jouir de cette même liberté. »

Sous ces ruses sensuelles ou ces ambivalences affectives, relativement fréquentes, ne reconnaît-on pas la vieille distinction que faisaient les Grecs entre l'affection que l'on doit aux membres de sa propre famille et l'attrait souvent irrésistible et fatal que l'on ressent pour une personne étrangère, l'« éros » ? On ne saurait généraliser. Il ne s'agit pas ici de sexualité errante et bien davantage d'un attachement que l'on entend conforter...

Ceux qui ratent...

Cela dit, l'enquête livre aussi de nombreux cas de détresse ou de misère sexuelle et sur lesquels il ne nous appartient pas de porter un jugement : combien de femmes et d'hommes se sont engagés dans des « aventures impossibles », des « histoires sans issue » — situations cristallisées avec le temps et qui, par là, deviennent insurmontables. La femme qui ne se marie pas, dans l'attente d'un divorce toujours reporté de son amant marié : « Je ne sais pas s'il est lâche, c'est possible, mais je crois surtout qu'il est coupable. Coupable devant qui ? Devant sa femme avec laquelle il n'a plus de rapport ? On ne sait pas, mais ça traîne depuis des années : pendant ce temps-là je vieillis » (secrétaire, Paris). Les amants, tous deux mariés de leur côté, et qui se retrouvent entre midi et deux heures dans un de ces hôtels de complaisance pour expérimenter un plaisir et sans doute un bonheur qu'ils n'ont, chacun de leur côté, jamais trouvé : « Je sais bien que nous nous faisons du mal et que nous ne sortons pas de ce gâchis, mais nous sommes plus heureux ensemble que nous ne l'avons été avec son mari, pour elle, avec ma femme, pour moi...

A cause des enfants des deux côtés, on ne divorcera pas », reconnaît ce cadre moyen de l'Est. Jeunes femmes devenues la maîtresse d'un patron âgé et qui se retiennent de rompre par crainte de perdre leur place « en ce temps de chômage ». Jeunes hommes qui se sont mariés malgré eux parce que leur « copine » a décidé un jour de ne plus prendre la pilule et leur a fait un gosse, une copine qu'ils n'aiment pas...

Situations difficiles, statistiquement nombreuses et qui sont souvent des corrections apportées à des unions contractées trop vite et trop jeunes : l'attachement que suggèrent les relations clandestines est passionnel comme si la passion ne s'attachait qu'à ce qui ne dure pas ou ne devrait pas durer. D'ailleurs la clandestinité n'est-elle pas un excitant du désir ?

Plus dramatique la situation des filles ignorantes des techniques de la contraception au milieu du puritanisme populaire ou qui, les connaissant, ne pourraient en user parce qu'elles se trouvent entourées d'un mur de moralisme conservateur ou phallocratique. Ou de celles qui subissent les violences de camarades ou d'hommes plus âgés dont la notoriété locale interdit toute contestation. Ou bien celles qui se confinent dans une chasteté craintive. Ou de ces jeunes hommes perdus dans la « jungle » des cités ouvrières, déchirés entre la solitude, les transports et l'usine.

Ou encore ces filles qui, d'année en année, parce qu'elles travaillaient à la maison et que leur mère a vieilli, sont devenues les maîtresses de leur père : situation sans issue là où nous l'avons rencontrée, dans certains villages ouvriers du Nord, de l'Est ou du Centre car personne jamais ne leur viendra en aide, entre une mère à moitié complice, des voisins silencieux et un père parfois violent. Ou de ces femmes, en province, devenues la maîtresse de notables et que ce cercle infernal emprisonne dans leur détresse. Aucune assistante sociale, aucun juge ne se mêlera de ces cas. Il y a une misère sexuelle française qui ne nous concerne pas ici, mais dont il faut porter témoignage...

Et de tous ces cas aberrants émerge chaque fois l'immense appel à la tendresse et à l'attachement à un être, la mystique du couple libre, reconnu par la société, et libre de toute contrainte. « Comme je voudrais avoir un enfant avec un homme que j'aimerais et que j'aurais choisi moi-même au lieu de cette chienlit dans laquelle je vis », dit une employée...

Les nouveaux enfants

Mis à part ces cas de détresse, le climat d'attachement prévaut, reconnu comme le seul représentant d'un idéal capable de régir les rapports des hommes et des femmes. Et cela se manifeste par une nouvelle attitude vis-à-vis des enfants, bien éloignée de ce qu'elle était à la génération précédente : l'enfant moteur d'une sociabilité nouvelle, l'enfant moteur d'une aventure du couple. Et c'est un fait que les efforts des jeunes gens pour s'arracher à la solitude s'accompagne d'un désir de reproduction. C'est ce qu'affirme cette employée (Centre) « que les deux gosses sont un complément à l'attachement qu'ils ont, son mari et elle ». Ou cet enseignant (Ouest) qui pense que « la vie des enfants fait partie de la bonne entente avec sa femme »...

De toute manière, un vague mythe de l'enfance s'est imposé, sans doute informulé et qui résulte, comme le dit cette infirmière (Paris), de ce qu'« on choisit les enfants que l'on veut et au moment où on les veut ». Victoire de la pilule ou de la contraception ? « L'enfant que je désire, il va de soi que je l'aime, puisque je l'ai choisi, et je ne suis pas une jument, je veux ce que je fais et mon mari aussi » (employée, Centre). « Autrefois, on les avait comme ça, et vaille que vaille. Maintenant, si on les a, c'est qu'on est responsable de les avoir. Chez nous, on était six, et je ne suis pas sûr que ça a arrangé les rapports de mon père, qui était tout le temps parti, et de ma mère » (instituteur, Midi). « Moi qui suis croyante, je pense qu'il faut en avoir, mais juste ceux qu'on peut vraiment élever ou aimer : je ne vais pas, comme certains, en faire une couvée pour que ce soit l'État qui s'en charge » (employée, Ouest). Et ce pêcheur (Ouest) : « On les aime comme on les fait, on les fait pas pour les assurances sociales. » Ou cet étudiant marié (Paris) : « Je n'ai pas besoin de l'État pour les avoir ni les élever, je ne les ai pas faits pour les donner à une guerre ou quelque chose de ce genre, pour qu'on s'en charge, mais pour nous, et qu'on forme un noyau. »

L'idée qui revient le plus souvent (la moitié de nos réponses) fait de l'enfant un élément moteur d'un groupe familial de type nouveau et d'une intense privatisation, d'une forme nouvelle de relations entre générations : « Je lui expliquerai que dans la guerre, on est toujours baisé. S'il veut s'engager, ça le regarde, mais je le lui dirai » (paysan, Centre). « Il me semble que nos rapports à ma femme et à moi seraient différents si nous n'avions pas le petit. On l'a pas fait parce qu'on nous a dit, ayez des mômes, mais parce que ça allait dans notre sens » (instituteur, Sud). Une sorte de complétude en somme et qui ne doit rien à la conscience qu'on prend de la démographie : « Qu'est-ce que ça nous fait à nous qu'on en ait un seul ? On ne va pas en pondre dix pour faire plaisir aux statistiques », dit cet employé syndicaliste de l'Est.

Complétude qui s'identifie à la vie intérieure du couple, qui n'admet souvent aucune différence entre les générations. Est-ce parce que les gens de 30 à 40 ans se souviennent de leur propre enfance et du mur qui les séparait de leurs parents ? En tout cas, il s'agit de ce qu'un instituteur appelle « une complicité entre nous tous ». Et il assure qu'« il met ses enfants dans le coup en leur expliquant tout ce qu'ils doivent savoir dans la maison et au dehors ».

Cette attitude est liée à un nouvel usage de la télévision, autrefois barrage de silence au moment des repas, excluant toute conversation entre jeunes et vieux. Certes, la dictature de l'image est encore forte, mais comme le dit cet ouvrier (Ouest) : « A la télé, je leur explique tout, on parle autant que le type qui présente. On critique, on discute. » Ou cet autre (Paris) : « Oui, on en discute : je leur dis ce que ça veut dire des informations comme celles-là, et même si on est d'accord, il faut encore en parler après : ça arrive souvent, avec leur mère ou avec moi. » « Je ne vais pas les laisser toute la journée devant le poste à regarder des âneries que je ne regarderais pas, moi, et il faut qu'ils me racontent ce qu'ils voient. D'abord, ça fait de la conversation » (employé, Sud-Ouest).

Certes, cette attitude pédagogique n'est pas générale. Elle correspond à un affaiblissement de la fascination exercée par la télévision, mais dont on sait qu'elle porte avec elle une incitation idéologique. Du moins, et cela est saisissant, la télévision n'est-elle plus une obsession comme on pouvait l'observer voici une dizaine d'années, sauf sans doute pour les personnes du troisième âge. Et les rapports parents-enfants ne paraissent plus séparés entre eux par la frontière de l'image...

De la même manière, tous les parents questionnés estiment qu'ils doivent sinon faire, du moins aider à la formation sexuelle de leurs enfants. « C'est entre nous que nous en discutons, et si on doit aider la fille avec la pilule, on le fera » dit cet employé (Paris). « Mieux vaut qu'on parle de ça à la maison plutôt qu'ils aillent l'apprendre entre copains sans trop savoir ce qu'ils font » (cadre moyen, Centre).

« J'ai reçu une éducation sévère, puritaine et tout ; résultat, je me suis plantée quand j'avais vingt ans, et je ne veux pas que ça arrive à ma fille : je serai la première à lui donner la pilule quand ce sera l'âge pour qu'elle sache ce qu'elle veut faire » (employée, Midi). Ou bien : « Les beaux principes, ça ne sert à rien quand il s'agit de la vie des plus jeunes. On est responsables ; et nous ne sommes croyants ni mon mari ni moi, mais nous avons, disons, une morale et cette morale c'est de faire que nos enfants aient la même liberté ou sécurité que nous » (infirmière, Nord). « C'est une question de confiance : on les a faits parce que ça nous faisait plaisir, on va pas les empêcher d'avoir le plaisir ! » (cadre moyen, Paris). Ou cette commerçante (Centre) : « Moi, j'en ai souffert et je ne veux pas qu'ils passent par là : c'est barbare de les laisser sans savoir ce qu'ils peuvent... »

« Je suis séparé de ma femme et je vais me remarier, mais je pense que nous devons faire tout ce qu'on pourra pour mettre les enfants en commun : on les a voulus, ils sont là. Ils ne devraient pas souffrir de notre liberté », dit cet ingénieur optimiste, du Nord.

Un dessinateur industriel du Centre et un employé du Nord résument assez bien cette attitude nouvelle et « privée » des parents pour les enfants : « Mes parents et ceux de ma femme croyaient qu'on était différents d'eux, qu'on était des sortes de bêtes sauvages, et c'est vrai qu'on a eu tendance à casser certaines choses. Mais ils avaient démissionné. Ils croyaient qu'en nous laissant libres, nous leurs foutrions la paix... Les deux enfants que nous avons, on les a pas eus comme ça, en l'air, on les a eus pour eux et pour nous : on forme un groupe tous les quatre et on est complices en bien des choses ; on parle de tout, on échange tout. On se défend comme on peut devant les emmerdements extérieurs. » « On n'a pas grand-chose. Les enfants c'est la seule chose qu'on possède et on ne s'appelle pas une famille, on s'appelle entre nous le clan. On prend les décisions en commun... »

La tolérance

Attitude modifiée également vis-à-vis de ces cas que l'on nommait « anormaux » autrefois, et que l'on rejetait hors de la vie commune. On pense ici à l'homosexualité qui paraît admise et acceptée par toutes les personnes interrogées. Le changement est notable depuis dix ans et mérite d'être noté...

« Je pense que c'est une affaire physiologique, biologique de l'individu et puis si un type vit comme ça, il faut qu'il s'assume comme ça, et si on le peut, il faut l'aider à ce qu'il s'assume de cette façon » (employé, Ouest). Ou bien, cet ouvrier de l'Est : « C'est son affaire, à lui ou à elle, je n'ai rien à y voir du moment que ça ne me gêne pas. Ils sont des bandes entre eux, et après ? » Ou cette enseignante (Paris) qui note : « Tolérance affective... compréhension théorique, parce que ça ne me touche pas. » Un commerçant (Centre) note que « cela ne le concerne pas » ; il ajoute : « Ce qui n'est pas normal, c'est que ces personnes se cachent. »

Un employé (Paris) connaît « un couple d'homosexuels qui vit dans une relation profonde et sur le même plan d'égalité que nous : je ne peux m'empêcher d'admirer une telle relation sincère. » Nous sommes bien au-delà de la « tolérance » d'autrefois ou d'un paternalisme dédaigneux : « J'accepte parfaitement l'homosexualité dit un commerçant (Sud). C'est une relation comme les autres, une question de goût, même si c'est pas le mien. » Ou ce cadre : « Je ne supporterais pas d'être dérangé par eux, parce que je ne les dérange pas ; et j'admets parfaitement qu'il y ait des femmes ou des hommes qui aiment des hommes ou des femmes. »

La plupart répondent que « ça ne les dérange pas », même dans les catégories sociales qui auraient montré sans doute une certaine hostilité à leur égard. Une restriction vient d'une vendeuse (Paris) qui « n'aime pas les spécialistes, mais c'est une sexualité possible à condition qu'elle soit simple comme la nôtre ». Ou cet employé (Centre) qui pense que « tout le monde a le droit de disposer de soi-même, mais pas d'imposer ses goûts, par exemple à des mineurs ». Les autres pensent tous « que c'est une affaire d'attirance et ça ne dérange personne »...

« Ma petite sœur avait des tendances comme ça... Une histoire avec mes parents qui ne comprenaient pas et qui lui faisaient la vie dure. On lui disait qu'elle devait se marier avec un tel ou un tel, qu'elle déshonorait la famille et je ne sais quoi encore... Finalement, elle est partie de la maison et elle a été plutôt malheureuse à Paris jusqu'à ce qu'elle se mette en ménage avec une autre fille. Il m'est arrivé d'aller la voir : elles sont très heureuses toutes les deux ensemble. Qu'est-ce qu'on veut de plus ? C'est le bonheur qui compte » (cadre moyen, Est).

Les « niches » de l'affection

« C'est le bonheur qui compte. » Une volonté de bonheur diversement manifestée et qu'on rencontre partout. Nulle part l'amour n'est identifié à la souffrance et si l'on peut parler de sensibilité, elle s'exerce surtout à travers la connivence et la complicité. Ce groupe composé par le couple et les enfants, ou le couple seul ne prend presque jamais le nom de famille. On en évite le terme, comme si le mot était chargé de connotations fâcheuses. Ou bien l'on s'en prend à la « famille traditionnelle » par laquelle on vise la situation familiale qu'on a pu connaître ou que l'on imagine avoir connue.

L'essentiel n'est pas là ; il est dans les rapports d'amitié et de camaraderie que les couples proposent comme condition la plus favorable à leur épanouissement. Si l'on trouve partout une méfiance générale envers l'État et ses mécanismes, s'il existe une revendication de renfermement du couple sur lui-même — abri ou cellule génératrice de vie commune — une égale revendication requiert la présence d'amis ou de camarades, de petits groupes « où l'on se voit souvent sans penser à autre chose qu'à discuter ou parler politique ou manger ensemble ».

Certes, il y a toujours eu des fréquentations familiales entre collègues, voisins de palier, camarades de régiment ou de bureau, membres d'une même promotion d'école ou de concours. Il semble pourtant qu'il s'agisse d'autre chose : d'une mise en commun, d'une participation affective de valeurs de complicité. Dans le froid milieu constitué par la société technologique, au milieu d'une crise et dans la situation de chômage partiel ou définitif, une sorte de fraternisation émerge, regroupant des couples qui ont, chacun pour eux-mêmes, retrouvé un équilibre sexuel dans leur attachement mutuel.

« On est là quelques-uns, tous mariés et avec les enfants, on se retrouve le plus souvent possible pour des sortes de fêtes qu'on se donne entre nous et dans lesquelles on partage tout. Il y a le sport ou le syndicalisme, on discute aussi des choses qu'on voit à la télévision, mais sans insister trop » (instituteur, Centre). « On est trois couples qui ne faisons pas les mêmes métiers, puisque ma femme est secrétaire et que les autres sont employées et que je suis dans une banque, les autres dans des entreprises privées du coin. On se retrouve pour parler, mais pas du travail, et cela détend. On part aussi en vacances ensemble avec des caravanes que nous avons, toujours dans le même coin de la côte. Il n'y a jamais eu d'histoires entre nous... » (employé, Est). Ou bien : « On fait de la montagne ensemble, à trois familles, parfois quatre, parce que la femme de l'autre couple est souffrante. On s'arrange entre nous, on se passe de l'argent si c'est nécessaire » (infirmière, Sud-Est). Ou encore, ce cadre moyen de l'Ouest : « On se retrouve pour faire de la voile ensemble. On emporte de quoi manger et coucher. On est de petits Robinson Crusoé. Ça nous est arrivé aussi deux fois quand nous avons fait des balades au Maroc en voiture. Les enfants s'arrangent entre eux et nous avons nos habitudes de discussion. »

De « petits Robinson Crusoé »... Obsession complémentaire de l'affection qui gère la vie du couple : la camaraderie complice, et une certaine hostilité envers la vie publique, « les autres » ou l'État, dont il semble qu'il faille ainsi se protéger. Rêve d'une autarcie de petits groupes s'isolant pour mieux approfondir les relations de tendresse qu'ils ont nouées. « Le plus important c'est de ne pas rester seuls entre nous, ce serait mauvais, dit cet employé, habitant la banlieue parisienne ; on vit à quelques maisons les uns des autres, mais on se retrouve pour l'été, toujours les mêmes, et c'est alors qu'on vit vraiment comme on a envie de le faire. » Ou cette enseignante de Paris : « Vous vous rendez compte : la famille, les vieux, enfin, moi aussi je peux passer pour vieille, mais on ne vit pas comme eux, avec des collègues de travail. On a, nous, des couples amis qui ont d'autres occupations : un peintre, un musicien, un dans une banque. On se retrouve souvent, pas seulement pour jouer aux cartes, dont j'ai horreur, mais pour parler et se promener ensemble l'été. » Ou cet ouvrier du Centre : « On est quelques couples et l'on préfère se retrouver ensemble pour s'amuser et parler. On fait des sortes de banquets entre nous. » Un employé de Paris conclut : « On est plus heureux quand on est ensemble depuis qu'on a décidé de partir en vacances ou d'aller le dimanche avec des amis. Ou bien on va chez les uns et les autres. La vie est moins triste. On a des projets... »

Certes, peu de paysans, peu de cadres supérieurs admettent cette connivence élargie, même s'ils la pratiquent sous une autre forme. Cette complicité, on la trouve surtout chez les couples urbains (ouvriers, artisans, commerçants, employés) entre 30 et 40 ans. Ces regroupements supposent une entraide et aussi une autonomie peu soucieuse de se soumettre aux exigences de l'administration ou de l'État. On dirait même qu'il s'agit d'un moyen d'oublier qu'il existe un monde organisé autour de soi : « Il me semble, dit cet ingénieur, que nous nous libérons de toutes les entraves du métier, pas seulement du métier, de tout le système : alors, avec les amis et les gosses, on devient vraiment écologistes. On traîne dans les forêts, on pêche, on chasse, on braconne même. Il me semble que nous sommes des couples plus solides quand on vit avec d'autres couples. »

« Après tout, nous nous servons de ce que nous avons : la voiture, les grandes routes, les forêts, les plages. Autrefois, quand on avait vingt ans, on partait seuls à l'aventure et parfois, on s'amusait, mais c'était rare. Je ne me suis amusé vraiment que depuis que nous formons une sorte de tribu, ma femme, les gosses et moi, avec deux ou trois autres familles. On a le sentiment d'être en vacances... », dit ce médecin du Sud-Ouest. Et cette connivence entre couples, qui n'est pas séparable de l'attachement interne à chaque union, constitue une famille d'élection élargie, une communauté quasi autonome, du moins par ses intentions. On demande à l'État d'assurer la circulation sur les routes, rien de plus : le reste est affaire de jouissance particulière.

Il est malaisé de conclure. Du moins, un trait commun apparaît : la recherche d'une communion entre les êtres, une revalorisation de l'affectivité dans le couple et de la complicité entre les sexes. On peut toujours évoquer le respect d'une traditionnelle « nuptialité » ou une démographie dont on voit en ce moment qu'elle s'épanouit. Les hommes et les femmes ne vivent pas en fonction d'idées abstraites ou de calculs économiques : ils constatent que le bonheur privé est plus important que l'ordre public. Un rapport intime cherche à se construire en dehors de toute surveillance administrative, généralement contestée ou méprisée. Il semble qu'une sorte d'hédonisme envahisse les relations entre les hommes et les femmes — ni la passion, ni l'exaltation sexuelle — mais une sorte de tendresse, de sentimentalisme profond et d'attachement qui trouve son épanouissement dans des « niches » amicales...

IV

MANGER, MANGER ENSEMBLE...

La mort, la religion, la sexualité, autant de thèmes qui déchaînèrent durant cette dernière décennie la curiosité des intellectuels, et particulièrement des spécialistes en sciences humaines. Certaines études devinrent classiques, les autres furent balayées par la mode, dans le même temps que les vitrines des librairies se modifiaient.

Aujourd'hui, l'on « s'intéresse » à la nourriture, au « manger », à l'alimentation [1]... Les intellectuels rejoignent cette immense vague qui poussent les vedettes des média à nous renseigner sur leurs goûts culinaires, les chefs à déserter leur cuisine pour l'édition, les livres de recettes et les guides à proliférer.

« Ah ! comme l'on mangeait bien jadis. » « Non, c'est le triomphe de la nouvelle cuisine ! » « Vous n'y comprenez rien, les Français redécouvrent la cuisine régionale ! » « Vive le macrobiotique. » « Mais regardez le succès des fast-food, l'apocalypse est pour demain ! »

Devant tant de contradictions, de discours péremptoires et insatisfaisants, nous nous sentions obligés d'intégrer à nos questionnaires et à nos entretiens une partie relative à

---

1. On note que peu d'études s'intéressent au mangeur et à la convivialité. Seuls des historiens comme J.P. Aron intègrent l'individu à leur discours et, bien évidemment, les psychanalystes qui appréhendent la boulimie ou l'anorexie.

l'alimentation. Bien nous en a pris, car elle a permis d'appréhender avec une acuité plus grande la privatisation et le besoin de convivialité qui émergeaient par ailleurs au fil du dépouillement des autres thèmes.

Si nous ne voulons pas sombrer dans les erreurs des discours « globalisants » et par là même réducteurs, nous devons envisager une véritable typologie.

Nous ne proposons pas de refaire une fois encore la carte gastronomique de la France, un quelconque recensement des spécialités régionales. Nous refusons aussi de prendre pour point de départ de notre approche l'indéniable inégalité alimentaire liée au statut socio-économique. Il s'agit simplement d'appréhender sans aucun système explicatif à priori le mangeur, en fonction des lieux spatio-temporels où il consomme les mets, des rapports qu'il entretient avec les personnes qui partagent son repas. Nous y ajouterons un autre élément permettant de distinguer le caractère ordinaire ou extra-ordinaire, dans la trame de la vie quotidienne des enquêtés, de la fréquentation de ces lieux d'alimentation.

Manger dehors

Un certain nombre de personnes interrogées – environ 30 % – déjeunent ou dînent régulièrement hors de chez eux. Cela va du pilote de ligne ou de l'hôtesse de l'air qui se retrouvent loin de leur sol, et généralement en groupe, à l'ouvrier qui fréquente la cantine, en passant par le représentant de commerce, l'employée ou la commerçante qui travaillent en journée continue, le cadre qui se voit imposer des déjeuners ou des dîners d'affaires, l'étudiant ou l'artisan qui ne veut pas perdre de temps dans les transports urbains.

Manger au moins une fois par jour, loin de son domicile, constitue leur ordinaire. Ont-ils les mêmes réactions, comment perçoivent-ils cette « obligation » ?

« On arrive, on est un peu perdu. Oh ! on a l'habitude, on connaît certaines têtes, le barman, le chef d'escale, ceux des navigants que l'on retrouve un peu partout, mais il existe quand même, même avec le temps, une espèce de déracinement. On part de Paris, il fait nuit, on reste 8 heures dans la cabine, on dort un peu, on blague, on est dans un espace clos dont nous connaissons tout, où chacun a sa place et puis on arrive. Il fait toujours nuit, c'est le problème des fuseaux et ce n'est pas si facile de s'y habituer... Bien sûr l'hôtel où nous logeons est le même ; ils sont tous pareils : même télé, même frigo, même salle de bain, même moquette. Mais tu te dis : je suis loin de ma famille, je n'ai pas les copains, ce n'est pas mon chez-moi. Alors il y a deux solutions. L'équipage se connaît bien, les gens sont sympas et après une bonne douche, on se retrouve tous pour manger ensemble. On est bien comme on le serait ici ; la différence, c'est que l'on se trouve à des milliers de kilomètres, mais on ne s'en aperçoit pas. La seconde solution est moins amusante, l'équipage est bête, ou tout le monde a des rendez-vous. Bref, tu te retrouves seul, et là, tu t'emmerdes. Alors pour oublier, moi, je cherche un bon restaurant français, s'il en existe un, et je mange beaucoup, parce qu'en mangeant une nourriture que je connais, je me sens mieux, je me retrouve, comme si j'affirmais ma nationalité en dégustant un cassoulet, ou quelque chose de comparable, et en buvant du bordeaux. Je recrée une sorte d'espace qui m'est supportable » (commandant de bord). Ou encore cette hôtesse : « Ce qui est chouette, ce n'est pas tellement le vol parce qu'il y a certains passagers qui sont pas des cadeaux : ils se croient tout permis sous prétexte qu'ils montent dans un avion ! Ils rouspètent sur la qualité du service — comme si chez eux ils mangeaient mieux tous les jours — ils te draguent parce que les hôtesses de l'air, c'est bien connu... Ils refusent de s'attacher. Dans ces cas-là, si le commandant est sympa, on s'amuse à leur faire quelques émotions. Bref, le vol, pour nous, ce n'est pas forcément la joie. Non, ce qui est bien, c'est lorsqu'on est une bonne équipe et qu'on sort ensemble à l'escale. On est des vrais gamins, on se fait des tours et puis à table on s'amuse bien, on récupère, on boit, on fait des projets de week-end en fonction de nos rotations de service. »

Cette convivialité, ce groupe qui permet de se retrouver loin de son « chez-soi » n'existe pas chez ces deux cadres ou chez ce représentant de commerce : « On est fatigué par la journée de démarchage, il faut faire des bordereaux, répondre au courrier. Dans la chambre d'hôtel, c'est vraiment trop démoralisant, alors on fait cela sur un coin de la table, au moins il y a une certaine animation autour. Mais des fois je me dis, c'est triste, tu ne connais personne, tu manges la même truite surgelée que dans le restaurant d'hier. Si tu as payé ta note, tu pourrais crever et personne ne s'en apercevrait. Alors quand j'en suis là, je vais boire un pot dans un bar de nuit, pas pour coucher avec une fille, non, pour parler un peu, même si je sais que la fille me prend pour un pigeon et qu'elle cherche à ce que je paie un maximum de boisson » (représentant, célibataire, 27 ans).

« Je contrôle des gens, essentiellement en milieu rural, alors il faut faire attention à sa santé parce que l'on vous offre facilement à boire. Je supporte mal ça et après je ne pourrais plus travailler convenablement. Mon problème, c'est aussi de me faire respecter, et si je buvais de l'eau, je ne serais pas crédible. J'ai donc choisi la bière. Pour manger, c'est pareil. Il me faut sans arrêt faire attention, suffisamment pour en imposer, mais pas trop. Toujours le sentiment d'être observé, toujours la nécessité de se contrôler, ce n'est pas amusant. Alors, quand à la fin d'une tournée de contrôle, je rentre chez moi et que des amis, pour nous faire plaisir, nous invitent au restaurant, ma femme et moi, je ne peux pas dire que ce soit de gaieté de cœur que je m'y rende. J'ai envie de manger chez moi ce qui me plaît, quand cela me plaît. De boire de l'eau et pas de me retrouver dans une salle contraignante où, si tu as envie de crier ou de chanter, on te prierait de sortir » (cadre, 38 ans).

« Le restaurant pour moi, c'est un peu l'enfer. Enfin, je veux dire, tel que je suis obligé de le fréquenter plusieurs jours dans la semaine. C'est terrible parce qu'au départ, j'aime bien manger, bien boire et si possible tout ce qu'il y a de meilleur. Seulement, il y a des jours où l'on en a plus ou moins envie, et c'est justement là que tu dois recevoir un client dans un trois ou quatre étoiles. Ou c'est la boîte qui paie et il faut faire bien les choses, ou c'est sa boîte, et il ne veut pas être en reste. Alors, tu dois te forcer, faire semblant d'apprécier alors que tu as plutôt envie de vomir. Tu dois manger comme lui, pas plus, mais pas moins et tu dois garder les idées fraîches. Si tu tombes sur un petit appétit, c'est reposant ; mais il en existe certains qui s'amusent pratiquement à t'enfoncer. Je me souviens d'un notaire, un vrai goinfre ! Si tu veux enlever l'affaire, il faut suivre ; alors la veille de la rencontre, je me mets à la diète et le lendemain je soigne mon foie. Tout cela pour dire que certains nous envient parce que nous fréquentons les hauts lieux de la cuisine française, mais moi, je préfèrerais être chez moi, ou dans un restaurant plus simple, avec des amis qui n'interprètent pas tous mes faits et gestes » (cadre commercial, 35 ans).

Cette revendication d'une convivialité, d'une communication qui ne laisse pas de place à une quelconque compétition, nous l'avons retrouvée chez certains ouvriers du bâtiment : « La boîte, pour se maintenir malgré la crise, cherche à enlever des marchés dans un peu toutes les régions. Quand cela arrive, elle nous demande et parfois nous oblige à aller travailler sur place. Le chantier dure parfois plusieurs mois ; alors, si c'est à 60 km, on rentre régulièrement, mais si cela se trouve à plusieurs centaines de kilomètres, c'est difficile, on loge sur place, on se trouve une pension et puis on rentre quand on peut. Ceux qui ont une femme et des gosses cherchent à revenir toutes les semaines. Pour les autres, cela dépend... Bref on est loin de chez nous, mais ça ne veut pas dire qu'on est en vacances ! On bosse comme ici et le soir, en sortant du chantier, on se retrouve un peu paumé, alors il faut se faire des amis, sans cela ce ne serait pas tenable. Le patron, il a du mal à nous comprendre parce qu'il ne donne pas des indemnités suffisantes. Par exemple, je pars à Bordeaux, il me donne 80 F par jour. J'ai trouvé une pension à 60 F, il me reste 20 F ; avec cela je peux pas faire des folies : ça fait deux tournées de Ricard si je veux me faire quelques copains. Ma femme m'engueule en me disant que je ne rapporte pas plus d'argent que lorsque je suis ici, mais je lui réponds qu'elle, elle rencontre ses amies et sa mère tous les jours, alors que moi, là-bas, si je ne pouvais pas boire un pot avec les collègues, causer un peu dans un café, je serais ni plus ni moins qu'une bête... » (électricien, 40 ans, Centre). « A midi et demi, je retrouve une copine et nous mangeons rapidement dans un snack. On ne fait guère attention à ce que l'on nous sert parce que nous sommes pressées. Simplement, on discute un peu et cela coupe la journée avant d'aller reprendre notre travail. L'été, c'est mieux parce que l'on mange une glace ou une pâtisserie à une terrasse et on s'amuse à regarder et à juger les gens qui passent devant nous. C'est comme si nous étions en vacances ! », dit cette vendeuse qui travaille en journée continue. Une autre fonctionnaire (41 ans, Ouest) explique : « Il existe un restaurant pour nous. Avant, on disait un foyer. Je vais y manger régulièrement, mais toujours mon amie me réserve une place à côté d'elle, à moins que ce ne soit moi. Si par hasard elle n'est pas là, je me sens gênée, il y en a qui font des réflexions. Avec elle, on profite de l'heure du repas pour papoter entre nous, mieux que lorsque nous nous retrouvons avec nos maris. Parfois, on achète juste un sandwich et on le mange en faisant du shopping dans les grands magasins qui restent ouverts. »

Ce besoin de partage affectif autour de la nourriture, on le retrouve chez un ouvrier de la région parisienne : « On s'attend avec les copains à l'entrée de la cantine pour déjeuner ensemble, c'est quand même plus sympathique si l'on peut déconner un peu. » Un groupe d'ingénieurs préfère se retrouver dans un restaurant proche de la grande usine dans laquelle ils travaillent. Convivialité certes, mais dans la ségrégation sociale : « Nous ne voulons pas manger au restaurant de l'entreprise, nous y retrouvons des gens qui nous déplaisent. Cela nous coûte un peu plus cher, mais nous nous retrouvons entre copains qui pensent pareil. »

Un étudiant salarié va jusqu'à nier cette absorption alimentaire : « Quand je suis à la fac, j'en profite et je ne veux pas perdre du temps en faisant la queue au restaurant universitaire, alors je mange une bricole dans un café proche. Mais je ne peux même pas appeler cela manger. Je continue à penser à ce que j'ai entendu, à ce que je vais faire : c'est une mastication machinale, un automatisme. Je suis là, mais en réalité cela n'a aucune importance. D'ailleurs les sandwiches sont tellement dégueulasses qu'on ne peut pas appeler ça un repas ! »

Ceux-là mangent ordinairement à l'extérieur, mais sans qu'ils l'aient forcément voulu, simplement parce que la nature de leur travail les y a déterminés. Tous, à différents degrés, poursuivent cette même quête de relations inter-individuelles, de fuite devant la solitude issue de l'anonymat ou du faux consensus masquant la compétition.

Qu'en est-il de ceux pour qui dîner ou déjeuner à l'extérieur, « sortir » comme ils le disent souvent, constitue « l'extra-quotidien », la différence parfois cristallisée en routine ou qui garde la force de l'exceptionnel ? Sont-ils, eux aussi, tourmentés à l'idée d'affronter ces lieux non familiers ? Reprennent-ils à leur compte la quête de convivialité qui animait les autres ? Quelles valeurs les conduisent à s'alimenter ailleurs qu'à l'accoutumée ?

Les réponses varient, mais il faut souligner que 50 % des personnes interrogées déclarent se rendre au moins une fois par mois dans un restaurant. Cela peut paraître élevé et pourtant, lorsque l'on a retiré les 30 % qui fréquentent les restaurants d'entreprises, les insipides snacks ou les « déjeuners d'affaires », il ne reste que 20 % de personnes qui « se paient » le restaurant, un peu comme une rupture, une fête dans l'ordinaire alimentaire.

Ajoutons toutefois que 85 % déjeunent ou dînent au moins une fois par mois chez des amis ou dans leur famille : invitations, repas qui sont généralement « rendus » — échange oblige !

Lorsque l'on fréquente le restaurant en couple, ou que l'on dîne à l'extérieur, il arrive que le sentiment ou l'absence de plénitude de convivialité varie considérablement d'un protagoniste à l'autre : « Tous les ans je me coltine un banquet avec les collègues de mon mari et leur famille. Ce n'est vraiment pas amusant. Les apéritifs n'en finissent pas, et puis après, cela traîne en longueur : des plats, encore des plats, toujours des plats. Et puis ils parlent, oh ! pas forcément boulot, mais de gens que je ne connais pas, et je me sens vraiment de trop. Sans compter que lorsqu'ils ont bien bu, c'est les plaisanteries douteuses, les histoires cochonnes, tout ça... Les mêmes qui chaque année font le même numéro, déclenchant les mêmes minauderies chez ces dames qui, soit dit en passant, ne sont pas non plus du tout mon genre... Non, vraiment, je sais qu'à lui, cela lui fait plaisir, alors j'y vais. Mais moi je m'en passerais bien, et quand nous aurons l'enfant je pourrai enfin échapper à cette corvée », (femme de fonctionnaire, 28 ans, enceinte). Même réaction chez ce jeune pharmacien (Est) : « Des amies de ma femme viennent parfois nous rendre visite. On les promène et nous les emmenons au restaurant, c'est plus simple. Certaines sont sympathiques, et la soirée est bonne mais souvent, avec ma femme, elles se rappellent leurs histoires du temps où elles étaient célibataires, elles évoquent des personnes ou des situations qui me sont inconnues et je n'ai qu'une hâte, c'est que le repas soit fini pour que je retrouve ma femme, enfin, celle que je connais... » Ou encore : « Les repas de famille, moi je ne les supporte plus. D'abord on mange trop, ensuite, inévitablement on finit par s'engueuler. Lui, il est content de retrouver ses parents, son frère et sa sœur, mais à quel prix ! Remarquez, il doit penser la même chose quand nous nous rendons chez moi. Alors, chacun fait un effort, sourit et ne fait aucune réflexion, mais je suis sûre que nous sommes contents lorsque nous nous retrouvons chez nous » (femme de cadre, 30 ans, Sud-Est).

Soyons juste, de telles sorties se confondent presque avec le mécanisme du « repas d'affaires ». L'immense majorité des enquêtés semble heureuse lors de ses « sorties gastronomiques ». Ainsi un artisan originaire de l'Est, installé dans la région parisienne, retrouve son entité, ses amitiés profondes « au banquet des conscrits. C'est une tradition dans mon pays, on se retrouve conscrits et conscrites, c'est-à-dire ceux et celles qui sont nés la même année. C'est un moyen de ne pas se perdre de vue. Il y en a qui sont installés en Suisse maintenant, d'autres dans le Midi de la France, à Paris, un peu partout, mais nous revenons tous car on donne notre adresse et ceux qui sont restés là-bas organisent et nous préviennent. On se rappelle les souvenirs, on s'informe, on mange le menu traditionnel : la saucisse, le jambon de montagne, une croûte aux morilles. Certains jouent de la musique. On boit un peu parce qu'on est contents d'être ensemble. On danse. On fait pas de mal. On s'amuse comme dans le temps, quand il n'y avait pas de télé, de cinéma, de bagnoles. On passe un bon moment comme si l'on ne s'était jamais quittés... »

« Les banquets, c'est bien, parce que on y voit les gens sous un autre angle. Il y en a, ce sont de vraies bêtes au boulot, il n'empêche qu'ils sont marrants au dehors. Quand on s'est retrouvé ensemble à un banquet, on se sent bien plus proches » (agriculteur, Centre). Ou encore : « C'était une belle noce. On était au moins 80 à table. On a beau dire c'est tout de même autre chose que ces buffets comme on en fait de plus en plus souvent maintenant. Bon ! On est là, on est assis, on est servis, on peut parler, on se passe les plats. On rit ! On ne pourrait pas faire cela tous les jours, mais justement, un banquet comme celui-là, ça marque, on s'en souvient, on est heureux d'en avoir fait partie » (ouvrier, 50 ans, Sud-Ouest).

Plusieurs personnes de catégories socio-économiques relativement modestes ont insisté sur l'importance qu'elles accordaient à un banquet de noces. On économise pour offrir un festin, un « potlach », à un grand nombre de personnes [1]. Nous pouvons interpréter ce désir de différentes façons qui, d'ailleurs, s'imbriquent. Un pourcentage important de cette catégorie sociale ne s'est urbanisé que très récemment. Le repas de noces, par une sorte de démarche nostalgique, manifeste un enracinement dans le groupe rural d'origine. Il s'avère une pratique de reproduction sociale. Mais, limiter une telle pratique à cette

1. Au sens que Marcel Mauss ou G. Bataille donnent à ce mot de « consommation somptuaire ».

reproduction serait ignorer toute la symbolique de réussite sociale que ces catégories modestes investissent dans l'alimentation.

Enfin, le nombre de plats proposés aux convives, leur valeur nutritive, l'inévitable plat de charcuteries, l'importance des viandes en sauces, des pâtisseries, ne sont que l'extrapolation, l'apogée d'une tendance manifestée dans la nourriture quotidienne : ces catégories sociales aiment le « consistant [1] »...

La « grande bouffe » qui rassemble un nombre important de convives se porte bien dans la France contemporaine... La sortie dans un restaurant aussi. Certains, pour des raisons économiques ne peuvent s'y rendre autant qu'ils le désireraient. Cette femme d'ouvrier (43 ans, région parisienne) explique : « Vous comprenez, quand nous partons en vacances et que nous descendons vers le Midi, nous avons le choix. Ou nous prenons l'autoroute, ou nous descendons par la nationale. D'un côté, peut-être moins de tracas de circulation, mais l'argent du péage et davantage de frais d'essence, car on roule plus vite. De l'autre, avec l'argent économisé, nous pouvons nous payer le restaurant. Alors, avec mon mari, nous n'hésitons pas, nous choisissons la deuxième solution. Ça c'est vraiment les vacances, le changement. Toute l'année, j'ai le souci de

---

1. Une recherche intéressante menée par S. Clément, J.-P. Gorge et O. Saint-Raymond sous la direction de R. Ledrut *L'évolution des comportements alimentaires sous leurs aspects qualitatifs*, distingue trois grandes tendances chez les mangeurs contemporains. Ceux qui obéissent au « complexe du trop » (constitués essentiellement de médecins et de professions paramédicales). Ceux qui recherchent le « nourrissant léger » et désertent plus ou moins la viande — qu'ils mangent grillée — la charcuterie, les féculents au profit des poissons, des légumes frais, des laitages et plus particulièrement du yaourt. Enfin, les mangeurs qui revendiquent un « nourrissant consistant », à base de soupe, de pommes de terre, de charcuterie, de légumes secs et de viandes en sauces. Cette dernière catégorie se compose surtout d'agriculteurs et d'ouvriers.

préparer le repas pour nous cinq, de les servir, et d'un seul coup, c'est le contraire, on me sert, je n'ai pas à me déranger, je suis avec toute la famille et on mange des choses inhabituelles. C'est merveilleux. »

Cette fréquentation du restaurant associée aux vacances, nous la retrouvons régulièrement. Elle ne surprend pas parce qu'il existe bien en effet des cycles saisonniers qui affectent l'hôtellerie. « Le restaurant, autre que celui de l'hôpital, seulement pendant les vacances » (aide soignante, Centre-Ouest). « En vacances, on fait des petites folies, aller au restaurant en représente une » (ouvrière, Nord). « Des vacances sans restaurant, ce ne sont pas des vacances, ou du moins, pour moi qui cuisine toute l'année, ce n'en seraient pas » (femme d'artisan, Est).

A travers la parole entendue, trois motivations l'emportent sur le besoin de convivialité et déterminent l'association restaurant-vacances. D'abord, le besoin de rupture — parfois très limité dans le temps — émerge chez les plus défavorisés, soit socialement (cela demeure alors au niveau de l'aspiration), soit dans la distribution des rôles quotidiens dans certaines familles traditionnelles. Les femmes exigent alors un véritable renversement copernicien : servantes le reste de l'année, elles souhaitent être servies, libérées des tracas de la préparation culinaire. Si l'on peut évoquer l'espace festif à propos de cette rupture (et les publicitaires ne cessent-ils pas de nous vendre ce temps libre comme une fête ?), c'est moins un modèle dionysiaque — que l'on nous fait souvent miroiter — que celui du carnaval et du renversement des valeurs qu'il suggère.

La seconde motivation de ce rapport restaurant-vacances, émerge avec l'exigence du « paraître » social... Il se développe sous des formes différentes dans toutes les catégories sociales. Nous le retrouverons lorsque nous parlerons des loisirs, mais il se manifeste aussi dans l'alimentation des vacanciers.

Snobisme et phénomène de mode chez les plus fortunés : « Lorsque nous nous rendons à X, il y a deux ou trois restaurants et deux boîtes que nous fréquentons systématiquement, comme cela nous sommes sûrs de retrouver des amis. Si je leur disais, je suis allée à X et qu'ils ne m'aient pas vue dans ces lieux, ils ne me croiraient pas... » (femme de médecin, 36 ans, Paris). « Vous n'iriez pas dans un grand restaurant mal vêtu. Il y a une tenue à respecter en fonction du lieu où l'on se trouve » (notaire, Est). « Lorsque je pars en vacances, j'achète tous les guides gastronomiques concernant la région et je cherche à manger dans les meilleurs restaurants qu'ils indiquent. En revenant, je peux ainsi donner mon avis à mes amis, leur raconter mes expériences de gastronome » (cadre supérieur, 35 ans, Ouest). « Aller sur la côte sans se rendre dans quelques endroits célèbres où l'on côtoie des vedettes, des gens qui sont arrivés, ce serait faire les choses à moitié. Personnellement, je mets un peu d'argent de côté toute l'année pour avoir le sentiment, pendant quelques jours d'être une privilégiée » (esthéticienne, 30 ans, Est).

Ce « paraître » qui s'exprime dans les clubs de vacances où certains vont même jusqu'à refuser de donner leur identité sociale. Un expert comptable raconte : « Nous étions au club ; dans notre groupe c'était sympa. Il y avait particulièrement un couple avec lequel nous nous entendions bien. Mais lui n'a jamais voulu nous dire ce qu'il faisait. C'est sa femme qui, le dernier jour, a dit à la mienne qu'ils tenaient une grosse boucherie. Elle culpabilisait en se demandant si nous pourrions garder des relations, de retour à Paris. » Ou encore cette secrétaire célibataire : « Avec mes économies, je me paie de belles vacances en groupe. Pendant dix jours, je profite du soleil, des soirées, de la bonne nourriture ; mais — tu diras que c'est idiot — mais je n'ose jamais dire ce que je fais exactement : quand on me le demande, je dis que je suis étudiante. » Un vendeur (23 ans) explique : « J'ai un copain dont le père a beaucoup d'argent. On sort souvent ensemble et nous aimons tous les deux bien manger. Quand on rencontre des gens dans les bons restaurants, que l'on sympathise et discute et qu'ils me demandent ce que je fais, je réponds que je suis étudiant comme mon ami. »

Paraître social qui, finalement, est aussi l'expression dans ces « restaurants-vitrines » d'un désir de convivialité, mais d'une convivialité faussée, truquée, manipulée, parce que reposant sur des images mythiques de la réussite sociale. Convivialité rêvée par ceux qui, suffisamment privilégiés pour en avoir les moyens financiers, croient trouver dans cette expérience une reconnaissance sociale, un signe d'appartenance à ce groupe des olympiens dont parlait Edgar Morin [1].

Certains enquêtés d'origine plus modeste n'osent assumer ce paraître : de moteur, il devient frein chez eux. Une femme d'ouvrier (40 ans, Nord) raconte : « Nous étions en vacances dans un camping. A côté il y avait des gens bien. Lui, il avait une belle place, mais ils étaient très gentils ; et, comme on mangeait dehors pas loin les uns des autres, on a commencé à se parler, à se passer des choses dont on avait besoin. Des fois, ils prenaient l'apéritif chez nous, des fois on allait dans leur caravane. Mais on sentait bien, nous, qu'on n'était pas du même monde. Alors, un jour, ils nous disent : — On vous emmène au restaurant ce soir. Nous avons refusé parce que là on n'aurait pas été à l'aise. »

Rupture, paraître, qui explique l'engouement pour les restaurants pendant les vacances, mais aussi parfois le désir de connaître le territoire où l'on séjourne, de découvrir les « spécialités » locales ou régionales. « Un cousin qui travaille depuis plusieurs années aux U.S.A. est venu nous

---

1. *L'esprit du temps*, Grasset.

rendre visite cet été. Nous l'avons emmené au bord de la mer et nous lui avons payé un bon restaurant. Tous nous avons profité de ce petit voyage pour manger un plateau de fruits de mer et des poissons. Mais lui, il nous a profondément choqués ; on a vu ce que les U.S.A. en avaient fait : il a demandé une choucroute !... en plein soleil !... Au bord de la mer ! » (instituteur, Centre). « Je pense que n'importe quel Français qui séjourne à Marseille a envie de rentrer dans un restaurant pour manger une bonne bouillabaisse et, s'il est à La Rochelle, des fruits de mer ou des huîtres. La qualité du restaurant changera avec ses possibilités, c'est tout » (pharmacien, Sud-Ouest).

Ce besoin de mieux connaître ou de découvrir le patrimoine gastronomique de notre pays n'explique pas toujours que l'on se rende au restaurant dans sa ville ou dans sa proche région. Le désir de rupture évoqué antérieurement se retrouve, mais sur une séquence plus courte. « Je fais à manger toute la semaine, le dimanche, il m'offre un bon restaurant, c'est mon jour de repos » (femme de cadre). La notion de plaisir émerge souvent dans ces multiples discours — plaisir gustatif, plaisir de la convivialité à deux ou dans un groupe, plaisir d'un moment et d'un lieu privilégié. « Manger un plat cuisiné, avec un vin qui s'y accorde, c'est une satisfaction, c'est une forme de plaisir, comme on n'en rencontre pas beaucoup dans la vie » (infirmière, Centre). Ou encore : « Je ne pense pas que les repas les plus chers soient les meilleurs. J'ai mangé dans de petits restaurants des plats qui étaient un vrai régal, on avait plaisir à en reprendre. J'ai eu l'occasion de manger dans d'autres restaurants, où j'étais invité, les menus étaient chers, mais cela ne m'a pas tellement épaté » (ouvrier, 34 ans, Centre). « J'ai déjeuné une fois chez X. Bien sûr, ce n'est pas moi qui payais, c'est un des grands souvenirs de ma vie. Pas parce que c'était X, mais parce que j'ai rarement eu le sentiment d'être aussi bien. C'était sensuel, pas comme dans l'amour, mais une forme de plaisir quand même. C'est beau, tu respires des parfums, tu goûtes, ça reste en bouche. Il se passe quelque chose car, autour de toi, les autres ont les mêmes réactions. C'est exceptionnel » (animateur, 38 ans, Jura).

Une dimension symbolique intervient dans ce plaisir : le coût, le prestige, les identifications que permet l'absorption d'un mets rare renforcent l'émotion gustative. Manger, cela s'analyse à trois niveaux : le gustatif (appareil physiologique), la symbolique (aspects sociaux, sémiologiques), l'affectif (convivialité, régression vers les premières émotions gustatives, etc.). Fréquenter un bon restaurant équivaut à vouloir satisfaire ces trois degrés. Plus la cuisine sera célèbre et plus le gustatif aura de chances d'être comblé ; une partie de la symbolique s'épanouira dans ce contexte prestigieux : « J'ai eu une promotion, alors, j'ai réservé une table dans un grand restaurant pour marquer cela » (rédactrice, Centre). Rite balisant l'ascension sociale... Toutefois, à côté du couple symbole-paraître, nous rencontrons une association symbole-déplacement dans l'espace. Elle explique le succès des restaurants étrangers ou l'attirance pour certains plats. Dans la grisaille d'un hiver qui n'en finit pas, on cherche le soleil ou le souvenir des vacances passées à travers un couscous, une paëlla, une fejoada, etc. On fuit la morosité de la quotidienneté en dînant à l'orientale. C'est la « nourriture-voyage » ! le plat crée un lieu différent dont on ne possède pas les codes et qui autorise tous les rêves. Cela explique que cette alimentation liée au voyage se confonde avec ce que l'on peut appeler la « nourriture-consensus » que certains hebdomadaires nomment aussi le « repas-copains ».

Niveau gustatif, niveau symbolique et niveau affectif où nous retrouvons la convivialité et la privatisation. « Je vais dans un grand restaurant lorsque je dispose de quatre heures de liberté et en compagnie de copains qui aiment faire la fête » (chirurgien, Nord). « J'aime bien manger en compagnie de quelqu'un. J'ai horreur de manger seule » (fonctionnaire, Ouest). « J'apprécie mieux la nourriture en présence d'amis » (agent de service, Centre). « En fait, le plus important, ce sont les personnes avec qui l'on est, car c'est avec elles et par elles que se fait le bon déroulement du repas » (cadre supérieur, Sud-Ouest).

Ceux qui nous répondent ou qui fréquentent le restaurant, ne s'y rendent pas toujours avec des amis. Certains préfèrent y aller en couple : « C'est un moyen de se retrouver. On s'offre cela de temps à autre » (cadre, 35 ans). Ou encore : « Parfois, on demande à quelqu'un de garder les enfants et nous choisissons un bon restaurant. Cela nous fait du bien, on se rajeunit, on existe tous les deux, ce qui est parfois difficile lorsque les enfants sont là » (professeur, Sud-Ouest). « Tous les ans, pour notre anniversaire de mariage, nous allons dans un bon restaurant » (employée, Centre).

Ainsi, paradoxalement, le lieu public devient celui de la privatisation, du dépaysement temporaire, du rapprochement du couple.

On ne reprendra pas ici les réponses concernant les invitations à domicile : elles recouperaient celles que l'on a pu rapporter à propos de la sortie dans les restaurants. On y retrouve cette idée d'une rupture dans la quotidienneté, lorsqu'on se fait une petite fête ; celle d'un plaisir, lorsque l'on prend le temps de cuisiner — « on met les petits plats dans les grands ». Ou encore, avec le caractère symbolique de produits chers que l'on achète parfois « pour se rappeler les vacances », ou « pour voir quel goût cela a depuis le temps qu'on en entend parler ».

Émerge aussi cette communauté du plaisir partagé — qu'il s'agisse du groupe familial au sein duquel, chez les plus jeunes, on retrouve la convivialité autour d'une table, malgré (ou parfois à cause de) la télévision, et avec les amis qu'on invite. A ce propos, diverses personnes interrogées qui assurent recevoir beaucoup, suggèrent une autre tendance : on préfère réunir moins de personne à la fois. « Avant, nous invitions trois ou quatre couples. En fin de compte, on en restait au niveau des banalités. Maintenant, on invite deux ou trois personnes, et cela permet de vraiment parler ensemble » (cadre, Centre). Une intense complicité se développe dans ces échanges de nourriture et de paroles. Et d'autres allument des chandeliers, s'habillent, dressent le « beau service » pour se retrouver dans le tête-à-tête gastronomique, « comme cela, sans raison particulière, simplement parce qu'on en a envie et qu'on échappe à la routine, qu'on se fait mutuellement plaisir » (ingénieur, Sud)...

Si nous demandons, au cours des entretiens, quels sont les plats préférés et quelle peut être la fréquence de la viande, du poisson, des légumes préparés pour le repas, nous retrouvons les diverses catégories proposées : les « complexés du trop », les partisans du « nourrissant-léger », les défenseurs du « nourrissant-consistant ». Trois catégories, trois types de mangeurs...

L'âge, ici, joue son rôle. Plus la population est vieille et plus elle semble s'identifier au rêve du « nourrissant-consistant » : peut-on y voir l'effet du peu de pénétration des campagnes d'éducation nutritive ? La survivance d'habitudes alimentaires marquées du sceau de la cuisine traditionnelle ? Ou bien aussi, la « peur de manquer », contemporaine des restrictions ? « Vous n'avez pas connu la guerre ni le rationnement ! Moi, si ! Alors, on mange tant qu'on peut manger » (artisan, Centre, 65 ans). Ou bien cet agriculteur de 70 ans qui mange énormément et qui s'exclame à la fin du repas : « Toujours ça que les autres n'auront pas ! » Les autres ? Son grand-père aurait dit : « Encore un poulet que les Prussiens n'auront pas ! »

Sans reprendre en compte la théorie des milieux, on doit constater l'influence de la géographie dans la distribution des catégories de mangeurs : on trouve plus de partisans du « nourrissant-consistant » dans les zones rurales. Une sorte de socialisation alimentaire s'effectue selon les modèles traditionnels et cela dépend aussi des régions, des produits locaux, aisément accessibles : l'Est avec ses charcuteries consistantes pour lutter, croit-on, contre le froid, le Sud et le Sud-Est avec la « légèreté » des salades ou des poissons...

Les mythes

Un nouveau thème surgit de la parole du mangeur contemporain. Manger, ce n'est pas seulement « se nourrir », c'est aussi agir sur l'organisme tout entier, sur le « soi ». Ce « soi » que l'on présente aux autres, qu'on le veuille ou non, et quelque dédain que l'on professe pour ce qu'ils pensent. Et quelle image du corps suggère justement ce rapport chaque fois différent avec l'alimentation ?

Voici d'abord ceux qui parlent de leur corps ou pensent à leur corps et à celui des autres en termes de rendement, de bon fonctionnement — l'athlète, le performant, l'efficace, le corps sain. Ils ne sont pas les plus nombreux et ne sont pas sans rappeler ceux qui nous ont dit « qu'il fallait un corps affiné pour réussir en amour ». Relation singulière entre la nourriture et la sexualité, entre la privation que l'on s'impose pour « se garder en forme » et l'intensité de désir qu'on peut éprouver ou inspirer. Mais on retrouve ici, aussi, ceux qui pensent en termes de « coût social », de rentabilité ou de compétition — professions médicales ou paramédicales, technocrates assidus des saunas ou des salles d'athlétisme, représentants d'une bourgeoisie moderniste hantée par le « complexe du trop », indissolublement liée à l'action et à l'efficacité. Et cette image paraît dominante dans l'« élite du pouvoir », tant par la fréquentation et le régime qu'implique cette « ascèse » que par les réactions qu'elle entraîne chez ceux qui n'y appartiennent pas et qui la jugent...

Viennent ensuite ceux qui donnent leur corps en représentation — commerçants, enseignants —, tous ceux qui exercent une profession spectaculaire, qui vivent de la relation qu'ils établissent avec un public. Ceux-là optent délibérément pour le « nourrissant-léger ».

Enfin, voici ceux qui usent professionnellement de leur corps et qui « se gâtent » ou « gâtent leur soi », l'enrichissent généreusement du « nourrissant-consistant ». Est-ce l'effet d'un obscur sentiment de dépense engendré par un travail musculaire souvent pénible — artisans, ouvriers, paysans ? Par le souvenir d'un séculaire appauvrissement qui entraînerait une compensation physique ? 82 % des gens qui optent pour ce type d'alimentation appartiennent en tout cas, jeunes ou vieux, à cette catégorie...

Mais au-delà de ces distinctions, au-delà des particularités des lieux où l'on mange, où l'on se restaure, où l'on aspire parfois mythiquement à manger, d'autres manifestations apparaissent qui démontrent le pouvoir révélateur du rapport des hommes et des femmes avec la nourriture : des mythes, des croyances, des « tabous » s'imposent à l'observateur qui donnent au « fait de manger » un pouvoir symbolique qui la déborde...

Le sexisme, d'abord... Il existe dans plusieurs tranches d'âge et dans des catégories socio-culturelles diverses, une distribution des rôles culinaires qui rappelle étrangement celle de la famille patriarcale... De vieilles croyances se maintiennent dans le domaine de l'alimentation, croyances qui renvoient à un système phallocratique. Beaucoup obéissent encore à des « tabous ».

On savait déjà que « la grande cuisine » était le territoire réservé des « chefs ». Mais, comme les femmes « préparent souvent de bonnes choses », il fallait se justifier ! Alors, d'aucuns allèrent jusqu'à distinguer — expression s'il en est du phallocratisme et de l'esprit misogyne — la cuisine « d'invention » qui appartient aux hommes et la cuisine bourgeoise, familiale, voire régionale, faite de tours de main, de transmission d'un savoir, bref, de « *reproduction sociale* » où les femmes excellent...

Nous n'envisagerons pas ici de tels discours qui apparaissent fréquemment chez les chroniqueurs culinaires et chez nombre de gastronomes. Constatons simplement que cette vision manichéenne se retrouve particulièrement dans les catégories socio-culturelles les plus élevées. Plutôt que de s'enfermer dans l'étude du stéréotype du chef, il faut chercher à saisir les mutations de cette autre image d'Épinal, celle de la mère nourricière.

Elle préparait les repas, les servait. Qu'en est-il aujourd'hui ? Dans certains milieux, particulièrement dans les milieux relativement modestes, cela n'a guère changé : « Quand je rentre du travail, je n'ai qu'une envie, me reposer, alors je ne vais pas commencer à faire la cuisine » déclare cet ouvrier de la région parisienne qui semble oublier que sa femme, elle aussi, a passé sa journée à l'usine. « Le matin, s'il part tôt pour son travail, il se fera encore des œufs sur le plat et du café. Mais de là à faire tout un repas, ça non ! » (agricultrice, 32 ans, Ouest). Ou encore cette employée des P.T.T... « On a tous les deux de bonnes journées, mais en plus, lui, il milite. Alors, le soir, c'est moi qui m'occupe des enfants, qui fais les courses et prépare à dîner. Parfois, j'en ai marre et je me dis que, moi aussi, j'irai m'inscrire. » Nous retrouvons les mêmes propos chez cette femme d'artisan : « C'est vrai, c'est dur en ce moment, alors, après ses chantiers il va voir les clients, cherche à faire des devis. Parfois il rentre et il est dix heures et demie ou onze heures. Il n'a pas mangé, il faut que ce soit prêt, car il est fatigué et le matin il se lève à six heures et demie. C'est pas une vie. »

Une telle distribution des rôles reflète une division masculine des tâches ménagères. Elle évoque la structure familiale patriarcale et, effectivement, nous la retrouvons chez ceux qui s'en sont le moins éloignés, les plus âgés, particulièrement en milieu agricole, ainsi que certains ouvriers ou artisans qui expriment par là, d'ailleurs, un certain nombre de stéréotypes quant à leur virilité. Pourtant, même dans ces milieux traditionalistes, un certain refus des femmes émerge. Certes, elles perpétuent les conduites de leurs mères au niveau de l'alimentation, mais dans le même temps, elles imaginent d'autres possibilités de répartition des rôles. Elles ne subissent plus passivement, elles ne pensent plus en termes de normalité, mais acceptent des concessions avec plus ou moins de résistance, généralement au nom d'« un mieux être » économique et familial espéré.

Une autre forme de servitude féminine apparaît dans ces milieux et même dans d'autres milieux plus privilégiés. Cette servitude qui déclenche moins de résistances, sans doute parce qu'on ne la vit pas comme telle, mais qui n'en est pas moins frappante.

Ainsi, l'on sait que pendant longtemps les femmes ne furent pas admises à la même table que les hommes et qu'elles mangeaient après eux, les restes [1].

---

1. Nous retrouvons la trace d'une telle exclusion de la convivialité caractéristique des structures patriarcales, chez les femmes interwievées les plus âgées, particulièrement en zone rurale. Elles préfèrent, mais en réalité n'ont jamais songé à goûter autre chose que ces restes — le foie, le gésier, le cœur dans les volailles, « sucer le cou ou la carcasse du poulet », « manger la tête du lapin qui constitue le meilleur morceau » (*sic*), celle des poissons, etc.

Or, un certain nombre de nos jeunes enquêtées (51) se retrouvent seules avec leurs enfants pour le repas de midi. Leur attitude par rapport à leur progéniture se calque étrangement sur celle que nous évoquions chez les femmes dans la famille patriarcale. « Cela ne vaut pas la peine que je mette une assiette pour moi. D'abord, je ne pourrais pas manger calmement car ils me réclament toujours quelque chose. Alors, autant m'occuper d'eux... Et puis, il y a toujours un peu de viande ou de légumes, de yaourt ou de fruit qu'ils laissent dans leur assiette, alors cela me suffit pour midi » (femme de cadre, 32 ans, Ouest). Certaines justifient même une telle servitude au nom de critères esthétiques ou diététiques : « Le midi, je me contente de finir ce que les filles ne veulent pas et, si j'ai encore faim, je mange un morceau de fromage. Cela m'aide à garder la ligne » (professeur, 35 ans, Centre). Une employée du Sud-Ouest nous explique : « Je ne vais pas salir une assiette et des couverts pour moi ; je mange dans celle de mon fils. » Enfin, une agricultrice raconte : « Je prévois un peu plus grand et pendant qu'ils mangent je pique un peu dans le plat. »

On notera que ces restes mangés au moment où l'on dessert ne sont que rarement pris en compte comme repas. Sans doute parce que les mères de familles ne se sont pas assises à la table, et parce qu'il n'y a pas eu de véritable convivialité.

Ce sexisme, nous le retrouvons dans des couches traditionalistes lorsque le groupe familial est réuni pour manger. Comme nous l'avons déjà souligné, c'est la femme qui dresse la table, apporte les plats, débarrasse. Parallèlement, les hommes attachés, d'une façon souvent inconsciente, au privilège archaïque, se réservent, tout comme l'ancestral patriarche, un certain nombre de rôles autour de la table : la viande — qu'il s'agisse d'un rôti, d'un gigot ou d'une volaille —, sera découpée par leurs soins, ainsi que le pain réclamé au cours du repas. Enfin, eux seuls sont habilités à verser le vin. La symbolique d'un père dominant le groupe familial et lui fournissant les produits essentiels à sa survie n'a donc point disparu...

A travers les entretiens et les observations, nous avons pu constater qu'en fonction de la jeunesse des tranches d'âges ainsi que de l'élévation du niveau socio-culturel, même chez les personnes interrogées manifestant un certain phallocratisme, certaines tâches relatives à l'alimentation sont acceptées tandis que d'autres sont laissées à la femme. On aide à mettre la table, la découpe de la viande peut être abandonnée à la ménagère qui l'apporte toute prête sur la table, mais toujours le mâle coupe le pain et verse le vin.

N'exagérons pas ces comportements traditionnels : on rencontre aussi des attitudes différentes. Qu'il s'agisse des moins de 40 ans, de ceux que l'on appelle « couches nouvelles » (cadres moyens, personnels de maîtrise, employés du secteur tertiaire, etc.) ou de certains intellectuels et cadres supérieurs. Ici, la division des rôles relatifs à l'alimentation apparaît plus floue. Parfois même on assiste à un véritable renversement : « On sert à table ensemble. Si l'un d'entre nous a envie de quelque chose, il se lève pour aller le chercher. Vraiment, on ne peut pas dire que ma femme serve plus que moi et inversement » (professeur, 35 ans, Ouest). Ou encore : « Ma femme a bien autre chose à faire, il est normal que je l'aide à faire manger toute la famille » (programmateur, Est). « J'aime bien mettre la table, cela me repose et pendant ce temps-là ma femme peut lire un peu » (employé, 24 ans, Centre). « C'est plutôt mon mari qui s'occupe de mettre la table, d'apporter les plats. Il faut dire qu'il mange plus vite que moi et qu'ainsi chacun vit à son propre rythme » (femme d'ingénieur, région parisienne). Enfin, ce cadre supérieur explique : « Ma femme est à la maison toute la journée avec nos deux enfants. C'est crevant, peut-être plus que le travail de certaines femmes que je vois autour de moi. Alors, quand je rentre, je lui dis d'en profiter pour souffler un peu. S'il n'est pas trop tard, elle peut se permettre un peu de shopping. Ou bien elle se détend et elle fait tout ce qu'elle avait envie de faire, que les enfants ne lui avaient pas permis. Moi, pendant ce temps, je discute avec eux, je mets la table, je prépare éventuellement le dîner. »

Émerge ici une égalité des rôles sexuels, du moins pour ce qui concerne l'alimentaire. Mais, lorsque l'on observe cette répartition dans la préparation des repas chez ces couples où la femme est « libérée », une relative ambiguïté, quant au pouvoir, subsiste : « Lorsque l'on invite des amis, c'est la bagarre : il veut faire la cuisine et moi aussi. Au début, je trouvais cela très bien ; seulement j'en ai vite eu assez, parce que tout le monde lui faisait des compliments et moi, j'étais un peu délaissée, pauvre petit être fragile qui n'est même pas capable de faire à manger ! J'ai compris qu'au fond il aimait bien se faire mousser en disant ou en laissant sous-entendre : vous avez vu comme je suis un mari modèle ! Alors ça, c'est fini, on fait tout ensemble, pour que personne ne tire la couverture à soi » (institutrice, femme de cadre, 32 ans, région parisienne).

« Les achats, c'est moi qui les fais. J'adore aller au marché, penser à ce que je cuisinerai à partir de ce que je trouve, à partir de mon humeur du jour. Je ne veux laisser à personne d'autre le soin de décider de ce que je vais manger » (ingénieur, Centre). « Lorsqu'il s'agit de cuisiner des steaks-frites, des pâtes ou des trucs comme cela, c'est moi. Bon, c'est généralement la semaine et il a souvent d'autres choses à faire. Mais lorsque l'on reçoit, ou le dimanche, bref, quand on mange mieux, quand c'est le bon repas, il tient absolument à s'en occuper » (employée). « Avant, nous allions faire les courses ensemble dans les grandes surfaces. Maintenant, j'y vais souvent seul et j'aime bien cela, parce que j'achète des choses que nous n'aurions pas achetées forcément en étant tous les deux. Par exemple : de la charcuterie, des choses pour l'apéritif, ou des conserves cuisinées » (ouvrier, 28 ans, Ouest).

Il ne s'agit plus ici d'un pouvoir phallocratique au sens traditionnel : il ne résulte pas d'une institution, d'une structure préexistante, il s'agit davantage de l'équilibre d'un pouvoir au sein d'un foyer, d'un leadership qui fait que décider de ce que l'on mange et le préparer confère une autorité certaine.

Mais nous retrouvons le « sexisme » dans plusieurs croyances alimentaires. Là encore, elles surgissent davantage chez les plus âgés et dans les zones rurales. Croyances qui se développent parfois à propos du « tabou » attaché au sang menstruel de la femme : « Une femme qui a ses règles ne doit pas aller dans une cave, cela est mauvais pour le vin et particulièrement si c'est pendant la période où il travaille » (viticulteur, Centre). Nous nous sommes renseignés auprès des fils et des filles de viticulteurs, et nombreux sont ceux qui confirment la permanence de cette croyance.

Le sang menstruel polluerait-il celui de la vigne et du Christ ?, en tout cas celui du cochon : « Dans mon village, lorsque l'on tue le cochon, les femmes réglées n'ont pas le droit de faire le boudin » (étudiante, Centre). « Quand on tue le cochon, c'est une affaire d'hommes parce que les femmes, on sait jamais, elles peuvent être indisposées à ce moment-là et ce ne serait pas bon » (agriculteur, 70 ans, Ouest).

Croyance, tabou, aussi par rapport à la femme enceinte : « Si l'on fait une mayonnaise ou une sauce hollandaise, il ne faut pas qu'une femme enceinte se trouve là, ça pourrait les faire tourner » (commerçante, 70 ans, Centre). L'imaginaire populaire utiliserait-il couleurs et consistance pour assimiler le sang au vin et la mayonnaise au placenta ?

Puisque nous évoquons le problème de la femme enceinte, signalons que, dans les milieux modestes et dans un certain nombre de régions rurales, nous avons encore rencontré des enquêtés qui estiment qu'une femme enceinte « doit manger pour deux ». Du coup, après la grossesse, on retrouve un corps qui a particulièrement souffert ou s'est déformé.

Enfin, toujours dans les mêmes milieux traditionnels, partisans acharnés d'un « nourrissant-consistant », la conception de l'alimentation du jeune enfant est un bon indicateur social : « Pour être en bonne santé il faut manger beaucoup » (agricultrice, Est), mais cela est particulièrement vrai pour les petits garçons... « Les filles, si ça ne veut pas finir son assiette, c'est parce que ça fait déjà des manières. Les garçons il faut qu'ils mangent plus, parce que ça a besoin d'être forts. Il faut qu'ils prennent toute leur viande et tous les légumes » (agriculteur, Centre). « Les filles c'est souvent que ça n'a pas envie de manger mais les garçons, il faut les forcer » (ouvrier, Sud-Ouest).

Pour tous ceux-là, un corps bien portant est un corps gros. La force se mesure au poids et la virilité aussi. Un phénomène plus subtil renforce une telle vision : dans ces milieux ruraux, certains adultes ont connu des carences alimentaires dans leur enfance. Pouvoir donner à manger aux siens, c'est un signe de réussite sociale... D'autre part, on investit sur l'enfant qui doit avoir plus de chance que celle que l'on estime avoir eue, seulement l'on investit davantage sur le garçon (successeur éventuel, en tout cas désiré) que sur la fille.

Enfin, pour conclure notre analyse sur ce sexisme qui traverse l'alimentation, nous devons signaler l'existence d'un certain nombre d'interdits alimentaires relativement répandus chez certains enquêtés.

Nous n'avons pas trouvé de trace de l'interdiction pour les femmes de manger de la triperie, interdiction observée encore, il y a quelques années [1]. La fréquentation des restaurants d'entreprises, de restaurants à prix fixe et des snacks où ce type de plat bon marché facilite le repas, a sapé en quelques décennies l'image de la « femme ogresse », dévoreuse de viscères.

Par contre, les interdits relatifs à l'alcool s'expriment toujours : « Un homme qui boit un petit coup de trop, ça arrive, ça ne porte pas à conséquence, c'est la vie, mais il n'y a rien de plus laid qu'une femme saoule ! » (ouvrier, 55 ans, Centre). « Lorsque je prospecte en campagne, à la fin, il arrive souvent que l'on m'offre à boire. C'est amusant ; chez les jeunes, on trinque tous ; mais dès qu'on arrive chez les plus de 50 ans, et même chez des vignerons, la femme va chercher une bouteille quand son mari lui demande, elle apporte des verres et un tire-bouchon pour qu'il l'ouvre, mais jamais elle ne boit ; certaines même restent debout pendant qu'on trinque entre hommes » (démarcheur en assurance, Centre-Ouest) : « J'aime bien le goût du vin, mais une femme ne doit pas en boire trop ; alors, si c'est de l'ordinaire, je le coupe avec de l'eau et si c'est du bon, j'en prends un petit verre à la fin du repas » (ouvrière, 46 ans). « J'aime bien le pinard, oh ! pas au point de rouler sous la table, mais j'aime bien ça. Le soir, par exemple, il m'arrive à l'heure de l'apéritif d'aller au bistrot, au pied de chez moi, et de me boire un petit beaujolais. Je ne culpabilise pas, mais je fais remarquer que je suis moins alcoolique en faisant ça que celles qui se boivent un petit apéro dans leur salon. Donc, je prends mon rouge au zinc. Eh bien, c'est marrant ; au début, les types me regardaient d'un drôle d'air, et puis ils se sont mis à me parler. C'est des prolos, eh bien ils m'ont dit que pour eux j'étais un vrai mec parce que je buvais du pinard » (étudiante, assistante sociale, Ouest).

---

1. Léo Moulin, *L'Europe à table,* Elsevier-Séquoia.

Nous ne soulignerons pas les « tu bois trop chérie », lorsqu'une femme laisse remplir son verre aussi souvent que l'on remplit celui de son mari, mais nous nous sommes amusés à appréhender dans notre questionnaire celles des boissons qui seraient plus facilement tolérées pour les femmes [1]. Nous demandions, entre autres, dans quel ordre les enquêtés proposeraient des boissons à l'homme et à la femme s'ils invitent un couple pour l'apéritif. Nous proposions trois boissons : le porto, le pastis et le whisky. 95 % des enquêtés formulèrent les mêmes réponses : pour la femme, le porto en premier parce qu'il est moins fort, plus sucré, ensuite le whisky, puisque c'est anglo-saxon et que dans les films américains, les femmes en boivent, enfin le pastis associé au comportement viril. La demande suivrait un ordre inverse lorsque l'on s'adresse à l'homme...

Quelque soit le milieu socio-culturel, nous retrouvons la même attitude concernant les digestifs. D'abord, peu de personnes songent à en proposer aux femmes ; ensuite, si on le fait « à l'occasion d'un repas important, comme une communion, un mariage, un banquet » (commerçant, 50 ans, Sud-Est), on verse les liqueurs douces dans les verres des dames et les alcools secs et forts dans ceux des « messieurs ».

On dira qu'il s'agit de satisfaire des préférences exprimées. On répondra que ce n'est pas toujours le cas et que beaucoup ne posent pas la question au moment de servir ces digestifs, que les dégoûts dans le domaine alimentaire et particulièrement dans le secteur des alcools, reflètent simplement la prégnance de modèles culturels véhiculés qui, il y a quelques décennies, étaient quasi uniformément

---

1. On sait que celles-ci — du moins celles qui étaient « respectées » — commencèrent par boire des vins de dessert dans des occasions exceptionnelles : vins souvent présentés comme « vins de femme », véritables sirops.

liés à la différence des sexes. Le fait alimentaire, par la complexité de ces trois niveaux — physiologique, symbolique et affectif — masque les connotations de tels comportements aux défenseurs de l'émancipation féminine.

Cette observation à propos de l'alcool nous conduit à la dernière inégalité alimentaire relative au sexe : le sucré...

Le sucré n'est pas féminin en tant que tel ; c'est pire, il appartient aux êtres faibles, qui ont besoin de protection... C'est du moins ce qui, il est vrai inconsciemment, ressort à travers plus de 60 % de nos entretiens : « Les bonbons, les pâtisseries, tout cela, c'est pour les gamins ou pour les femmes. Pour un homme, ça la foutrait mal » (ouvrier, 45 ans, région parisienne). « Tu me vois, sur le chantier, au moment du casse-croûte sortir mon choux à la crème ? Les copains ils diraient : oh ! la petite femme qui se fait son quatre-heures ! » (menuisier, 23 ans, Ouest). « Manger un sandwich dans la rue cela ne me gêne pas, mais une pâtisserie, ça m'ennuierait » (employé, S.N.C.F.). « Quand mon grand-père est invité chez nous, il fait toujours remarquer qu'il préfère le fromage au dessert. Cela ne l'empêche d'ailleurs pas de prendre du gâteau ou de la crème, mais il faut toujours qu'il dise que c'est exceptionnel, que c'est pas son habitude : il paraît gêné à la limite » (employé, 28 ans). Un chef d'entreprise (60 ans) va jusqu'à confier : « Je vieillis depuis quelque temps, je commence à avoir envie de sucreries, c'est le retour à l'enfance. » « Plutôt que d'aller dans des cafés, à midi, nous préfèrons avec mon amie nous rendre dans un salon de thé et manger des pâtisseries. D'abord on aime ça, et puis là, on n'est pas ennuyées par les dragueurs parce qu'il y a surtout des femmes, ou alors des hommes plutôt âgés » (employée, Centre). « Si on me donne à choisir entre la viande et les gâteaux, je prends la viande, ma femme ce serait le contraire » (agriculteur, Est). « J'adore les pâtisseries mais, ça m'agace, car lorsque dans un repas je reprends du dessert, j'ai l'impression qu'on me considère un peu comme un gamin. Cela ne se manifeste pas si je reprends de la viande ou d'un autre plat » (cadre supérieur, 34 ans, Centre).

L'interdit ne s'adresse plus ici à la femme mais plutôt à l'homme qui, avouant ses préférences pour les douceurs, risque de diminuer d'autant son « image virile » fondée sur la consommation de carné et d'épicé. Un étudiant (région parisienne) précise cette tendance : « Pendant les vacances scolaires, j'effectue des jobs pour me faire un peu d'argent. J'ai travaillé dans une banque et avec des maçons. Dans les deux endroits, on s'arrête vers 10 heures du matin pour manger un peu. Et bien, chez les maçons c'est toujours de la charcuterie, du pain, du fromage tandis qu'à la banque, les mecs qui sont un peu minets mangent des pâtisseries avec les filles. »

Ce sucré à tendance enfantine ou féminine va de paire avec l'épicé — aux relents aphrodisiaques — réservé aux hommes. Du moins pour nos enquêtés les plus âgés. « Une femme qui poivre sa viande, ça ne se voit pas ! » (agriculteur, Ouest, 70 ans). Un artisan (Centre, 68 ans) semble encore confondre droit de chasse et droit de cuissage [1] : « Les viandes fortes, un peu faisandées, ce n'est pas bon pour les femmes. » Ou encore cette employée qui nous raconte : « J'aime bien épicé, mais lorsque nous allons dans la famille et que je mets des condiments sur ma nourriture, le grand-père ne peut s'empêcher de faire remarquer à mon mari : — Ta femme elle va être exigeante ce soir... Ça me gêne ! »

1. Cet interdit pour les femmes de manger du gibier, viande associée à l'homme chasseur, au seigneur, s'est longtemps maintenu dans nos campagnes.

Des attitudes culturelles alimentaires « sexistes », plus ou moins formalisées, plus ou moins conscientes, se déguisant tantôt par des règles, tantôt par des goûts et dégoûts, émergent chez nos enquêtés, mais dans notre « société de consommation » et d'abondance relative au niveau nutritionnel, se perpétuent aussi des conduites qui refusent le gaspillage.

Des réponses obtenues à notre questionnaire, il ressort qu'on déteste jeter, du moins jeter immédiatement car, après un séjour plus ou moins long dans le réfrigérateur, sous le prétexte de rangement ou de respect des règles hygiéniques, les vestiges d'un lointain repas finissent dans la poubelle. Certains, qui ont le temps de cuisiner, réintègrent sous forme de hachis, de soupe, le « non-consommé ». D'autres n'hésitent pas à congeler. Enfin, beaucoup résolvent ce problème en nourrissant les animaux domestiques. Moins de 10 % des personnes questionnées déclarent jeter spontanément ce qui reste dans les assiettes : est-ce l'expression de cette peur de manquer que nous avons évoquée précédemment ? Elle existe bien cette angoisse, cependant...Ainsi, non seulement les agricultrices ou les femmes au foyer, mais aussi celles qui travaillent à l'extérieur, font des conserves ou congèlent des plats en prévision d'une saison, d'une invitation, « pour savoir qu'on a toujours une avance et que si, un jour, on est ennuyé, on pourra toujours manger » (employée, 40 ans). Certes, cette conservation s'accompagne souvent du désir de manger « au naturel » : la majorité des personnes questionnées accumulent les produits dont elles connaissent la provenance : légumes d'un jardin, donnés par la famille, vendus par un voisin ou achetés sur le lieu de production, viande fournie par une connaissance, etc.

Ce besoin de savoir ce que l'on mange, de nier les circuits de distribution, de redécouvrir l'autarcie alimentaire, n'explique pas les comportements d'achat créateurs d'inflation psychologique, que l'on observe de temps à autre dans notre société. Un épicier raconte « pendant l'été où il a fait si chaud, une petite vieille m'a demandé de lui livrer douze bouteilles d'eau minérale. Quand je suis arrivé dans son studio, je croyais rêver. Il y avait bien 200 litres d'eau, plus que dans mon entrepôt. Elle m'a dit qu'elle avait peur d'en manquer. » Une fonctionnaire confie : « J'ai toujours 3 litres d'huile et 10 kilos de sucre d'avance, on ne sait jamais ce qui peut arriver. » « A chaque fois qu'il va faire les commissions mon mari rapporte en plus un paquet de pâtes. Moi je ne sais plus où les ranger. Je l'attrape, mais il me dit qu'on en a manqué pendant la guerre, et qu'il vaut mieux en avoir en trop » (ouvrière, 60 ans, région parisienne).

Sécurisation symbolique que l'on retrouve dans l'accumulation des images relatives à la nourriture : on découpe les recettes dans les journaux, on les note auprès de la maîtresse de maison quand on est invité, on achète des livres de cuisine, spécialisés ou non. Documentation que l'on ne consulte jamais pour le repas quotidien, mais à laquelle on a recours, comme le dit cette institutrice, « quand on invite du monde et que l'on veut faire autre chose ». Dans cette accumulation de recettes, cette possession de signes culinaires, on retrouve la hantise de la sécurisation : « On n'est pas pris de court. »

Un dernier élément apparaît dans l'étude des pratiques alimentaires, et surtout chez les jeunes : l'engouement pour la cuisine, une cuisine compliquée et sophistiquée, une cuisine qui mijote, une cuisine généreuse qui appelle l'attention et de lentes préparations. C'est à ce propos qu'on parle de « nouveaux gourmands [1] ».

---

1. J.-P. Énard, « Eh bien ! Mangeons... », dans *Le Monde du dimanche,* février 1980.

A travers nos entretiens, c'est le plaisir, bien sûr, qui l'emporte chez ces amateurs : plaisir gustatif, mais aussi plaisir de se réunir en petit groupe d'amis très proches, complicité de la communion manducatoire. Il n'est pas indifférent de rappeler qu'on rencontre ici nombre d'anciens « militants gauchistes » de 68 chez ces gastronomes. Ici, l'on rappelle Bachelard « qui aimait, en bon Bourguignon, préparer des plats compliqués ». On énumère quelques philosophes dont on sait qu'ils ne laisseraient à personne le soin de préparer la palette ou le ragoût. Ou bien, l'on se retrouve à Paris et dans les grandes villes dans de « petits bistrots » peu fréquentés, souvent chers où le patron qui est souvent un ami, sait, en dehors du coup de feu, mijoter quelque rouelle.

Journalistes, étudiants, jeunes technocrates pas encore coincés dans le système, écrivains, artistes, on a dit que ces « gourmands » poursuivaient une sorte de compensation alimentaire parce qu'ils se sentaient « mal aimés ». C'est possible, bien qu'une semblable convivialité gastronomique se retrouve durant les périodes de guerre, d'après-guerre ou de danger [1]. Il y a plus sans doute : « C'est le plaisir seul, le plaisir d'être ensemble, souvent entre garçons, une sorte de communion très intellectuelle en somme, l'"agape" des anciens ou les fameux déjeuners de Luther : la parole vient mieux quand on déguste des plats compliqués, la philosophie n'est pas séparable de ce qui mijote dans une casserole, de l'opération chimiquement métaphysique et matérialiste qui s'opère dans cette transmutation », nous dit un philosophe devenu journaliste.

Il n'est pas certain que ces « nouveaux gourmands »

1. Parlera-t-on de ces repas gastronomiques des gens de la Résistance ? Réponse à la menace guerrière ? De ces repas que partageaient Renan et ses amis pendant le siège de Paris, repas privilégiés, puisque tout un chacun, dit-on, mangeait du chat ou du rat...

ne regroupent que des intellectuels. En nombre d'endroits, ici et là en France, le plaisir de la cuisine et le plaisir gustatif se rencontrent, en dehors de tout traditionnalisme, orienté par le seul mais incoercible plaisir de « manger ensemble », de partager ensemble la dégustation d'un plat longuement préparé. Il ne s'agit pas ici de « sauver la tradition », de démontrer la « supériorité de la cuisine française », de « promouvoir la nouvelle cuisine ». Il s'agit seulement de volupté. Un double plaisir qui résulte à la fois de la complicité d'une manducation commune et de la chimie culinaire préparatoire...

Manger, c'est bien plus que manger. On sait bien que les différences de cultures se marquent là. L'alimentation confirme son importance comme terrain privilégié pour ressaisir des valeurs que la réflexion intellectuelle de cabinet ne saurait atteindre. La préparation elle-même de la nourriture ne suffit pas, non plus que son absorption ou sa digestion : des hiérarchies de valeurs et de croyances, des distinctions de classes ou de castes apparaissent qui démontrent bien, s'il fallait le rappeler aux anthropologues, que se dissimulent derrière les pratiques de table des actes et des intentions qui aident à révéler l'homme à lui-même...

V

TRAVAIL, JOUISSANCE...

Doute-t-on de l'universelle obligation du travail ? Doute-t-on des avantages de la production — et du bien-être qui en résulte ? Le chômage n'est-il pas un spectre ? Pourtant, il n'est pas certain que le discours officiel ou banal sur le travail ne cache pas une réalité plus nuancée, des conflits entre les valeurs généralement admises et les pratiques...

Et d'abord ceci : les travailleurs s'identifient-ils encore complètement au travail et à la production ? Le doute qu'on peut avoir émerge confusément de réponses diverses, tant il est malaisé de rejeter les lieux communs — la faute primordiale (« tu gagneras ton pain à la sueur de ton front »), la mystique de la production industrielle que partagent capitalisme et socialisme. Ces « tabous » résistent. Alors, souvent un double jeu s'instaure. Quelque chose se passe ici qui n'ose dire son nom « le droit à la paresse », dont parlait Lassalle ? Plutôt le droit à la jouissance et au plaisir.

Les idées réelles sur le travail apparaissent d'ailleurs souvent par le biais de réflexions sur la retraite, le travail « noir », le chômage, les rapports vivants qui s'établissent dans une activité commune ou la disposition de ce qu'il est convenu d'appeler le « temps libre ». Les questions que nous avons proposées à ce sujet permettent de contourner l'idée toute faite et superficielle du travail nécessaire et de ressaisir cette part cachée : la diversité des attitudes et des utopies, qui accompagnent la « fatalité productrice »...

Le travail-obsession

Et d'abord, quelle place occupe le travail dans la conscience privée, les conversations familiales, les obsessions individuelles ? 42 % des travailleurs nous assurent qu'ils ne sont pas envahis par leur préoccupation laborieuse quand ils se retrouvent à la maison, 51 % qu'ils le sont et qu'ils en parlent, 7 % ne se prononcent guère, mais il est vrai qu'on trouve chez ces derniers nombre de retraités...

Au premier chef, les réponses dépendent de la nature du travail effectué et une grande part de subjectivité s'investit dans ces réponses. Il existe en effet des professions dans lesquelles on se préoccupe surtout du travail quand il est terminé, notamment chez les agriculteurs, les commerçants et les chefs d'entreprise...

Chez les paysans, on repère mal sans doute la frontière entre le travail et le non-travail : « Bien sûr, que je me tourmente ! Je regarde le ciel, je lis les bulletins météorologiques et je crains les intempéries qui surviendraient au mauvais moment. J'ai peur aussi qu'une maladie ne tombe sur la récolte. Tant que la moisson n'est pas finie, on ne peut être sûr de rien. Après, on se tourmente pour la vente et pour savoir si le prix qu'on va faire payer correspond au travail qu'on a fourni. Et puis, on recommence » (agriculteur céréalier, 45 ans, Centre). Ou bien encore : « Un agriculteur qui n'aurait pas de souci ? Pour moi, ça n'existe pas ! D'abord, il faut moderniser, ce qui veut dire emprunter et cela vous amène déjà des nuits blanches.

Ensuite il faut gérer et c'est aussi du travail, un autre travail : on s'en passerait bien, mais il faut le faire. Vous êtes dans les champs, vous travaillez, mais une fois chez vous, vous devez faire des déclarations, vous avez des problèmes de T.V.A., des papiers à lire pour vous informer. C'est encore un autre travail » (agriculteur, 40 ans, Est). Enfin, un éleveur (54 ans, Ouest) : « Le moment du travail, chez nous, c'est tout le temps ! Bien sûr, on ne pointe pas comme à l'usine, mais on doit toujours être prêt à fournir un effort : les vaches ne choisissent pas leur heure pour vêler et il faut y être. Quand on rentre les foins et qu'un orage arrive, même si on est crevé, il faut se rhabiller pour finir la rentrée afin que ça ne mouille pas trop. Nous, les paysans, il faut toujours avoir l'œil, sans cela, c'est la catastrophe. »

Une totale disponibilité... Une préoccupation constante des dangers qui menacent la production — intempéries ou maladies. Mais une autre inquiétude apparaît : celle de tous les exploitants agricoles, « les papiers à remplir, de plus en plus nombreux, » la « paperasse », la nécessité de gérer son bien — c'est-à-dire d'être informé chaque jour des débouchés possibles, des cours, des coûts...

Préoccupation qui obsède aussi les commerçants, et qui constitue un travail supplémentaire, surajouté au travail productif, souvent plus urgent et plus important que l'autre, dans son « formalisme » administratif. « Comment voulez-vous que j'oublie mon travail, quand je rentre à la maison ?, dit ce plombier (37 ans, Centre). D'abord j'écoute les messages enregistrés sur mon répondeur téléphonique : il y a toujours un chauffage en panne avec des mômes en bas âge dans la maison, et il faut repartir aussitôt, parce que je ne peux pas laisser les clients comme ça. S'il n'y a rien d'urgent dans les messages, il y a toujours des gens qui téléphonent pour un oui ou pour un non, parce qu'ils savent qu'ils peuvent m'avoir au téléphone après 21 heures. Ils me demandent un peu n'importe quoi — un devis pour remplacer un joint, un débouchage de siphon... Mais ce qu'il y a de plus vrai, quand je rentre chez moi, ce sont les devis, les vrais, qui me permettent de bouffer. Il faut les faire ! Bien sûr, ma femme, en revenant de son travail, les tape elle-même, mais ce n'est pas elle qui va établir les prix. Il faut que je trouve, moi, le juste milieu : pas trop cher pour enlever le chantier, mais il faut penser aussi à toutes les surprises que je peux avoir et calculer une marge pour ne pas travailler à perte. Ce n'est pas simple... Et puis, il y a la documentation que nous adressent les boîtes : il faut regarder les promotions, calculer les avantages, acheter. Il faut lire tout ce qu'on produit du côté du chauffage solaire, parce qu'il commence à y avoir une demande de ce côté. Vous voyez : je suis sur le chantier dix heures par jour et quand je rentre à la maison, je continue à travailler, même si je préférerais souvent m'occuper de la famille. »

Un maçon (Paris) prolonge ce constat : « Je ne m'occupe pas des papiers pendant la semaine, il faut se ménager le temps de vivre ; mais le samedi et le dimanche, je suis à mon bureau pour travailler. » Ou cette bouchère (Paris) : « On ferme à une heure, c'est entendu, mais les garçons partent et je reste à mon comptoir pour les calculs. Et souvent, le lundi, quand on ferme, je reviens pour faire mes prévisions, mes commandes, mes déclarations ; et il y en a plus que je ne pourrais en remplir ! »

Un bijoutier (Centre) raconte : « C'est un véritable casse-tête et j'en rêve la nuit ! Il faut calculer le prix des bijoux en fonction de la hausse ou la baisse de l'or : j'en suis à un point où je préfère retirer de la vitrine les belles pièces, parce que je ne m'y retrouverais pas avec les prix affichés. Et puis, il faut tenir le registre de l'or en cas de contrôle, il faut se livrer à des tas de calculs avec la T.V.A.

S'il y a du monde au magasin, c'est-à-dire si les affaires vont bien, je ramène du travail à la maison. Si je n'ai personne, alors j'ai peur et je me tourmente quand je reviens chez moi. » Identique préoccupation chez une commerçante en confection (Sud-Ouest) : « J'avais acheté une assez grosse partie de la collection d'été : on n'a presque rien vendu avec la crise ; maintenant, il faut payer les fournisseurs. Inutile de vous dire que le travail me préoccupe sans arrêt. »

Les chefs d'entreprise retrouvent ce genre d'angoisse : « La crise est là. J'ai mes gars. Je ne sais plus quoi leur donner comme travail. Au début, je me suis dit : c'est passager, et on tournait alors comme si de rien n'était... Mais maintenant, tous gagnent moins et travaillent moins. Ils paraissent d'accord, mais j'ai peur que les syndicats ne s'en mêlent. Alors, ou je licencie, ou je trouve quelqu'un qui rachète pour faire autre chose » (directeur d'une entreprise de mécanique, région parisienne). « Il existe encore des secteurs où ça marche bien, mais ça devient de plus en plus rare. Alors, même à la maison, je pense à la boîte : je téléphone à des clients éventuels, j'essaie de trouver des combines pour calculer les prix les plus justes. Je ne veux pas démissionner maintenant, ce serait trop bête, mais je chapote comme on dit » (directeur d'une entreprise de travaux publics, Centre). Le chef d'une petite entreprise familiale de construction maritime (Ouest) parle de ces « conseils de famille continuels » que sont devenues les soirées familiales : « On suppute toutes les chances, les deux fils racontent ce qu'ils ont fait, et tout le monde s'y met. Mon grand-père, le soir, lui, en rentrant de l'usine, il jouait aux cartes avec des amis ou ses cousins. Fini, ça, aujourd'hui... »

L'obsession du travail emplit l'intimité familiale comme celle du chômage celle des ouvriers. Certes, il y a l'effet de la « crise », mais derrière la crise il y a, semble-t-il, à la fois la dissolution d'une forme américaine du travail qui est apparue dans ce pays avec les années 50, le poids des appareils administratifs, syndicaux, politiques inadaptés à la vie présente et le pressentiment confus qu'il pourrait exister un autre genre d'activité productrice dont personne n'a le concept.

Certes, chez ces agriculteurs ou ces entrepreneurs, la production et le revenu sont indissolublement liés ; lorsqu'on pense travail, on pense argent : sans l'aide de l'État, les intempéries, cela veut dire un manque à gagner et pour les plus endettés, la ruine. Vendre insuffisamment conduit à la faillite ou à la cessation d'activité. On juge ici de la réussite économique ou financière sans prendre en compte le travail souvent écrasant.

Évidemment cette relation est plus forte encore dans certains métiers comme celui de la banque : « Je me préoccupe sans cesse de mon travail, pas forcément pour les mêmes raisons que j'entends exprimer autour de moi... Mon métier est de prêter de l'argent. A l'heure actuelle, avec la politique qui a cours et les taux qu'on nous oblige à pratiquer, c'est devenu presque impossible. En plus, on nous demande de respecter des quotas — chose qu'on ne faisait pas jusqu'ici — c'est-à-dire que si cette politique continuait avec l'argent à plus de 20 %, je ne pourrais même plus en prêter. Vous comprenez que tout ça me tourmente. Tous ceux qui travaillent dans le système bancaire, et presque à tous les échelons, se tourmentent et ne parlent que de cela. Bientôt, je n'aurai plus rien à faire si ce n'est d'aller pêcher à la ligne. Cela ne veut pas dire que je serai licencié, mais au bout de quelques mois de vacances forcées, la banque décidera de me promouvoir, de me nommer directeur d'une agence dans un bled quelconque où je ne connaîtrai personne et où mon travail sera moins intéressant » (cadre bancaire, 35 ans, Centre).

Cette obsession du travail se pose autrement pour les professions libérales. Un jeune médecin (Sud-Est) assure :

« Cette question ne vaut pas trop pour nous. Je sais que je dois être disponible 24 heures sur 24. Il n'y a pas longtemps que je suis installé et on n'hésite pas à me téléphoner à n'importe quelle heure. Il ne faut pas que je me trompe... Au fond, m'occuper de mon travail tout le temps, partout, c'est mon métier. » Et même l'argent paraît ne pas jouer un grand rôle chez ce médecin d'une ville moyenne : « Sur l'ensemble des malades, il y a des cas qui posent des problèmes dont on ne sait pas toujours comment ils vont évoluer. On y pense... En même temps, j'ai une femme et des enfants qui ont aussi envie de profiter de moi. Je ne peux pas tout le temps les laisser sortir sans moi, mais si j'ai un cardiaque qui risque de rechuter, je pense toujours à lui. Quand je vais au cinéma, l'ouvreuse connaît le numéro de mon siège s'il y a une urgence et souvent, en rentrant de chez des amis, je passe revoir certains malades chez eux. »

« Et puis, on ne peut pas décrocher. Il faut se tenir au courant, lire énormément de communications. On ne peut pas le faire pendant la journée, alors on le fait le soir » (médecin, 54 ans, Sud-Ouest). Ou bien : « Il faut se tenir au courant, suivre des journées d'entretien, connaître les nouvelles thérapies » (cardiologue, Ouest).

Les avocats montrent la même hantise de leur travail — qu'accroît le nombre croissant des causes ou des litiges de tout genre. « Il faut suivre ces affaires en cours, c'est important pour la jurisprudence, regarder du côté des sciences humaines, de la documentation criminelle. J'y passe mes soirées. C'est fini le temps du petit homme de loi qui vivait dans son coin. »

Obsession, le travail ? Obsession plus qu'obligation. Voici des années, au début du siècle, le travail s'enracinait dans la vie sociale. Les rôles sociaux exercés par les entrepreneurs ou les professions libérales paraissaient indiscutables, stables. Monde de notaires et de fabriques où la faillite comme une trop grande ouverture au monde étaient suspectes.

Ce monde-là a disparu avec les années 50 et l'apparition d'un nouveau système d'organisation économique et technologique, puis avec la crise récente. L'imprévisible, le hasard, la chance, l'instabilité, s'installent à l'intérieur de la vie économique. Travailler n'est plus une fin en soi. Réussir est une nécessité. Des savoirs nouveaux, des incitations jusque-là inconnues balaient le territoire du travail. Le travail est devenu une aventure...

Qu'en est-il des fonctionnaires, de ceux qui apparemment sont protégés par un statut ? Et d'abord de ces stagiaires, au bord ou en marge de la fonction publique : situation commune à la plupart des jeunes, aujourd'hui. Et qui diffuse une anxiété agressive.

Voici ce remplaçant d'enseignement : « Je suis là, demain j'aurai un remplacement à l'autre bout de l'académie. Je ne suis pas titulaire, bien sûr. Je vivote, je fais des cours en plus, ici et là. Je n'ai pas le temps de travailler pour moi et je ne m'en sors pas. » Imagine-t-on les distorsions mentales auxquelles sont soumis ces prolétaires intellectuels ? D'explosives frustrations résultent de la raréfaction des postes d'éducation et de la fermeture du recrutement dans les universités. Ces protestations ne viennent pas d'une contestation du travail, mais tout au contraire d'un besoin, parfois poussé jusqu'à la détresse, de trouver un emploi stable.

Une autre obsession envahit les autres, les « titulaires », dans des établissements surchargés, où rien ne fonctionne parce que les crédits sont insuffisants, dans des universités en proie à la « magouille » et qu'affecte la lente décomposition du service public en France. Autrefois, on se moquait des pédagogues qui transportaient avec eux, hors des cours ou des classes, leur magistère. C'est plutôt l'inverse qui se produit : les obsessions de la vie économique ou sociale pénètrent dans l'école et l'université. Par la télévision, par la radio, par la hantise des difficultés matérielles : « Je suis forcée de regarder les films qui passent à la télévision parce que je sais que demain on en reparlera en cours » (institutrice, Centre). « Dans mon établissement, en banlieue, la rue intervient presque toujours : tantôt des voyous interviennent, tantôt des élèves nous apportent leurs problèmes. Nous ne faisons plus d'éducation, nous répondons à des exigences qui ne sont pas les nôtres. Ajoutez que nous sommes méprisés et qu'on nous le montre » (enseignante, C.E.R., région parisienne). « Et puis comment pourrais-je oublier qu'il faut finir le mois, que c'est bien gentil les vacances, mais qu'est-ce que ça peut me faire puisque je n'ai pas d'argent pour emmener les gosses ? » (instituteur, Centre).

« Je voudrais qu'on me parle de gens qui jouissent vraiment de leur maison. Je pars à six heures du matin, je rentre le soir, je suis fatiguée, je vais chercher ma fille à la crèche. Il faut corriger les devoirs, préparer les enseignements de demain. Pendant ce temps-là, les gosses regardent la télévision. Je suis contre ce genre d'éducation, mais qu'y puis-je ? », dit cette enseignante de la banlieue parisienne. Ou cet autre, d'une grande ville du Sud : « C'est très bien ; apparemment, tout fonctionne ; seulement les enfants ne s'intéressent plus du tout à ce qu'on leur enseigne comme si c'était lettre morte et d'autre part je ne peux pas oublier mes ennuis personnels, des traites à payer ou tout le reste. »

Double obsession — celle d'un enseignement qui ne sert plus à personne d'instrument de « transfert de classe » comme était encore le baccalauréat des années 50, rivalité d'une télévision qui apporte des informations sur des problèmes auxquels le pédagogue n'est pas censé devoir répondre, déversement de la fatigue — enseigner « mange » le psychisme quand on le fait loyalement – sur la vie de famille.

« On nous reproche souvent ces fameuses vacances, dit cette directrice d'école, mais il s'agit de gens qui ne savent pas ce que c'est qu'enseigner et qui seraient incapables de parler devant trois enfants à la fois. Moi je ne peux pas rêver ou penser à autre chose pendant que je fais la classe ou pendant les conseils ou les réunions avec les parents. Je ne peux pas lire mon journal comme les bureaucrates, ni m'enfermer des heures entières dans les cabinets, ni faire mon marché. Mes heures de travail sont des heures à temps plein et quand je rentre le soir, je travaille, je prépare les cours ou je fais des rapports, je prépare des notes pour le rectorat, l'académie ou la municipalité. J'essaie de rendre service aux enfants. Je ne franchis pas la porte de l'école pour les oublier, et j'en parle bien entendu avec les miens pendant la soirée. »

A l'université, l'obsession n'est pas moins grande : les étudiants, les thèses, les mémoires ne sont jamais comptabilisés dans les heures de cours. « Trois heures ? Ça veut dire trois jours de travail intensif avec des étudiants à voir, des réunions, des obligations de toutes sortes. On se réunit des heures pour discuter de l'affectation d'une dactylo et la plupart en font un problème d'idéologie ou de doctrine » (professeur, Paris). Ou bien ce professeur d'anglais (Sud) : « J'ai un magnétophone et un magnétoscope. Je mets en conserve les films qui passent en version originale au cinéma de minuit ou au ciné-club, je les visionne ensuite avec les étudiants. D'autres fois, nous cherchons à traduire des disques Pop et cela nous permet de retrouver des expressions populaires, argotiques. Je cherche un matériel qui sorte des méthodes traditionnelles : vous voyez que tout cela déborde largement sur ma vie privée. Je ne le regrette pas, c'est un métier que j'ai choisi et que j'aime, mais il faut que les gens sachent ce que nous faisons. Or, ils s'en moquent. »

Il y a ceux qui poursuivent des recherches personnelles avec les obligations de leurs métiers : « Je pense à la thèse que je prépare et cela m'arrive n'importe où, en voiture, chez des amis, au cinéma. Je prends des notes. J'y rêve la nuit : je me réveille et je vais travailler sur la lancée de mon rêve » (enseignant, 35 ans, Centre). Ou ce chercheur en biologie : « Je n'arrête pas de penser aux expériences que j'ai en cours. Ça me fait passer pour un fou parce que je ne réponds pas ou je réponds à côté aux questions qu'on me pose. »

Les sondages ne nous parlent jamais de la manière dont le travail manuel ou intellectuel est *perçu* ou « vécu ». Ils se soucient d'organisation, c'est-à-dire de pouvoir. Ce que nous avons entendu dément le cynisme ou l'optimisme de ceux qui parlent du travail avec les chiffres d'une rationalité concentrationnaire. Nous avons entendu des hommes et des femmes que le travail du service public persécute parce qu'il a changé de sens avec la démographie galopante des années 60, avec les erreurs d'organisation ou de gestion ministérielles, avec l'anxiété d'en perdre la stabilité, avec les insurmontables difficultés économiques du moment présent. Nous avons trouvé partout les mêmes expressions de dégoût ou de contestation : chefs d'entreprise, paysans, intellectuels, professions libérales, commerçants (qui ne parlent pas volontiers), tous aboutissent à la même conclusion : « Ça ne peut pas durer. » Peu importe l'idée qu'ils se font de ce qui peut remplacer la situation présente. Les uns et les autres constatent que le pays traverse une « zone de turbulence » d'où peuvent sortir des solutions diverses mais nécessaires qui impliquent une « nouvelle donne » de l'argent, du travail, de la production...

« On ne vit pas seulement pour travailler, dit cet

ouvrier métallurgiste (Sud-Est), et quand on est à la maison, il faudrait pouvoir en profiter. Mais comment faire ? Il y a des amis au chômage, on parle de l'avenir dans l'entreprise... Et des chances que l'on a de conserver son travail. »

Inquiétude comparable à celle du chef d'entreprise : anxiété commune à des classes différentes dans ce pays et qui s'oppose généralement aux prescriptions étatiques ou économiques suggérées par les média officiels. Plane ici le fantôme du chômage, de la récession, d'une crise dont on finit par penser qu'elle est accentuée sinon organisée par une politique génératrice de faillites.

« Il faut autre chose, ça ne peut pas durer longtemps comme ça : à qui peut-on faire appel ? L'administration est aux abonnés absents. Est-on condamné à végéter et à pourrir sur pied ? », demande cet employé du Nord hanté par le chômage qui le menace. Et ce chef d'entreprise (Ouest) estime « qu'il faut une solution globale, absolument nouvelle, du genre de celle qu'a apportée Roosevelt avec le New Deal ou quelque chose de semblable ». Ou cet ouvrier (Centre) : « Le plus important est de ne pas continuer comme on fait à se laisser ballotter entre des entreprises achetées par on ne sait qui et servant on ne sait quel intérêt qui n'est pas le nôtre. » Ou cet enseignant (Paris, 30 ans) : « Il faut réviser tout ce qu'on a fait sur l'enseignement depuis dix ou vingt ans, repartir à zéro, trouver quelque chose qui fasse que les jeunes trouvent chez nous ce qu'ils attendent au lieu de perdre leur temps. »

Au fil des entretiens, cette peur de perdre l'emploi fixe paraît plus complexe qu'un slogan : elle suscite des craintes, mais ces craintes se combinent avec d'autres préoccupations. On redoute surtout la baisse des revenus — notamment chez ceux qui ont pris de gros crédits pour acheter voiture ou maison — mais aussi l'avenir : « Si j'étais viré, je crois que je me débrouillerais au début, après, il faudrait y penser... » (fraiseur, 35 ans, Est). Ou bien : « Pour le moment, au chômage, les gars ont une allocation qui tombe, mais on se dit aussi que si l'on y passe et que toutes les usines sont fermées, qui paiera le chômage ? » (ouvrier, pétrochimie, Ouest). Ou encore : « On a acheté la maison, il y a six ans. J'ai calculé les remboursements en heures supplémentaires à l'époque : maintenant je ne peux plus le faire. On y arrive parce que le salaire a augmenté et que les remboursements restent les mêmes. Mais après, si je suis au chômage, à 90 % du salaire, ça va encore, à 80 %, c'est impossible ! » (P 2, Lille).

« C'est la seconde fois que ça m'arrive depuis quatre ans, dit cette ouvrière au chômage (mère célibataire, Centre), je connais ça. Perdre son travail, les premiers mois, ce n'est pas dramatique : on touche de l'argent, on peut faire autre chose et s'occuper des enfants. Pendant un ou deux mois, je dirais même que c'est agréable... C'est après que ça devient embêtant, parce que l'argent n'est pas suffisant et qu'il faut trouver du travail. Le problème, ce n'est pas de perdre, c'est de retrouver quelque chose. » Et l'important est de trouver une « sorte de travail » dans la même région, pour que l'enracinement soit protégé. Enracinement auprès des amis, des camarades. On redoute surtout ce « statut d'émigré » qui accompagne le changement de région : « Si les imbéciles qui font des plans savaient ce que ça représente de changer en ce moment, ils feraient attention à nous » (ouvrière, Ouest).

Les ouvriers ne sont pas les seuls à penser ainsi, mais la plupart des cadres (60 %) qui à la fois se préoccupent de l'avenir de leur travail et d'une éventuelle migration. On change volontiers de région avant trente ans, après, l'on s'enracine dans les amis et dans le crédit. « Les planificateurs sont des imbéciles : ils ne savent pas que les travailleurs sont plus attachés à leur espace, à leur région, qu'à leur travail lui-même » (chef d'entreprise, Nord). Certes, après le démantèlement des entreprises sidérurgiques, et contre l'avis des syndicats, nombre d'ouvriers ont accepté la prime de déplacement et quitté la région : « Ce sont des gens jeunes et souvent ils avaient envie d'ouvrir un bistrot, une boîte, un petit magasin quelque part, mais c'étaient tous des gens qui n'avaient pas de racines, qui n'étaient pas des fils de gens qui avaient travaillé ici » (ingénieur, Nord).

« J'étais au chômage, mais je n'ai jamais cherché de travail ailleurs ; on m'en a proposé en Suisse ou dans la région parisienne et j'ai refusé. Je ne voulais pas partir d'ici, et j'ai bien fait, parce que, maintenant, je serais chômeur là-bas où je ne connais personne. Ici, quand je n'avais pas de travail, j'avais au moins la famille : je pouvais faire mon bout de jardin ; je connais bien les endroits à champignons et je sais où il faut aller en cueillir. Les copains ne m'ont jamais laissé tomber » (ouvrier horloger, Jura). Un ouvrier électricien de Paris ne pense pas autrement : « Ici, je suis chez moi, je n'ai pas de loyer à payer, alors je ne vois pas pourquoi j'irais faire le porte à porte dans un coin où je ne connais personne. » Ou cet outilleur (Nord) : « Je crois que je serais assez paumé si je n'avais plus de travail, et s'il fallait que j'aille dans un autre endroit, je ne le supporterais pas. »

Un cadre gestionnaire (Centre) explique : « Si je suis remercié, et j'en ai peur, je n'ai plus envie de rester dans cette branche : je continuerai à vivre ici, où nous avons des amis, des habitudes, un appartement qui nous plaît. Comme on me versera des indemnités de licenciement, j'ai l'espoir de réaliser un vieux rêve : j'ouvrirai une librairie. Ce sera un moyen de montrer que je peux me débrouiller tout seul. » Et cet informaticien (région parisienne) : « Si je suis licencié, je ne veux pas recommencer une compétition pour avoir une place : je reviens dans ma ville natale et j'ouvre un commerce avec ma femme. »

On ne peut dédaigner cet enracinement, cette adhérence topologique des travailleurs, si différente de la migration acceptée par le fonctionnaire : double mouvement qui prend de l'ampleur avec la IIIe République — celui du travail stable mais voué à la translation permanente, celui du travail précaire, mais sédentaire.

Les employés n'échappent pas aux anxiétés du travail, mais cette inquiétude se nuance d'un sentiment obscur : il faut se défendre contre une mauvaise image que l'administration et la bureaucratie donnent d'elles-mêmes. Mais l'opposition n'est pas là ; elle apparaît davantage à l'intérieur de mêmes corps de métier : ainsi ces ouvriers et ce patron du bâtiment (Centre) s'indignent de la manière dont leurs homologues, fonctionnaires de l'E.D.F. « prennent leur travail » : « Là où nous mettons une heure, tout seuls, ils n'y arrivent pas tous ensemble en une demi-journée. » Ou bien, ce plombier : « Ça dépend des équipes, il y en a qui sont sérieux, mais j'en connais qui passent leur journée au bistrot. D'accord, moi, je prends mon travail comme je le veux et je n'ai pas de patron, mais ce que je fais, je le fais. » Les commerçants se plaignent des ouvriers fonctionnaires parce que ce sont « des clients à problème, parce qu'ils font exactement comme si nous gagnions beaucoup d'argent, parce qu'ils marchandent » (Ouest).

Tous contre tous... Menues rivalités et qui ne sont pas propres à ce pays — qui tiennent à la division même du travail, aux spécialisations, au rôle qu'on s'accorde ou que l'on accorde aux autres. Prétextes souvent à querelles, à dénominations...

Et, bien sûr, les fonctionnaires ou les employés, condamnés à vivre ensemble dans l'espace clos d'un bureau retrouvent à l'intérieur de ces lieux refermés toute la gamme des relations affectives : jalousie, hostilité, attirance, dédain, etc. « Auparavant, j'étais dans un bureau où personne ne s'entendait avec personne. Il y en avait toujours un qui mettait de la pagaille dans les dossiers et qui, ensuite, se faisait valoir auprès du chef. Maintenant, je suis dans un autre bureau et très détendue parce que je m'entends bien avec mes collègues » (finances, Ouest). Ou encore : « Ce n'est pas mon travail qui me préoccupe, c'est de me dire qu'à tout moment je peux me retrouver muté dans un autre bureau s'il y a une réorganisation, auprès de gens que je ne connais pas » (employé, industrie privée, Centre).

Ces relations internes aux lieux de l'administration, elles non plus, ne sont ni neuves ni spécifiques. Elles accentuent parfois la complicité entre collègues ou entre amis, elles en suscitent d'autres. Il n'est pas certain que la proportion des employés ou des fonctionnaires qui se retrouvent entre eux dans des groupes ou des amicales soit aussi forte que celle des autres métiers qui prolongent dans la convivialité un travail commun.

Temps libre ou temps vide ?

Le travail n'est pas seulement le travail. C'est aussi ce temps vide où l'on dispose de soi. Non pas « loisir » comme on disait autrefois, mais cette bulle de non-productivité que l'on porte avec soi, et qui est souvent aujourd'hui plus importante que le travail lui-même.

60 % des personnes que nous avons interrogées acceptent ou accepteraient de disposer de plus de temps libre et de gagner moins d'argent. 25 % s'y refusent absolument : ce sont des salariés qui touchent le S.M.I.C., des artisans, de petits patrons qui redoutent la crise. Mais ceux qui préfèrent le temps libre notent cependant comme cet ouvrier du Nord que « les loisirs coûtent cher », bien que tous estiment qu'ils « pourraient s'occuper enfin de la maison et de la famille » (ingénieur, Sud-Est), « voir un peu plus sou-

vent les amis et participer aux réunions de quartier » (cadre moyen, Est).

Ce « temps libre » n'est pas perçu comme un congé supplémentaire : « L'idéal serait d'avoir un jour en semaine, de renverser la vapeur au moment où personne d'autre ne le fait, mais c'est évidemment impossible ! » (cadre, Sud-Ouest). « Ce qui serait intéressant, ce serait d'étaler un peu, par exemple d'aller dans les terrains de sport ou les piscines quand on est peu nombreux, d'éviter l'entassement du dimanche » (employé, Paris). Certains s'organisent pour cela et afin d'intégrer le non-travail à l'intérieur du travail lui-même : « Si nous avons monté un cabinet à plusieurs, c'est bien pour avoir davantage de temps libre. Sans doute gagne-t-on moins que d'autres confrères, mais après tout, c'est ce que nous préférons » (médecin, Ouest).

Le non-travail dans le travail. Le mi-temps. Bien entendu, ce sont les femmes qui réclament cette solution ou la pratiquent déjà. Seulement, ce qui apparaît pour elle, ce n'est pas le loisir-distraction, mais la maison, les enfants, l'installation d'un décor. « C'est l'idéal, dit cette orthophoniste (Centre), comme je ne veux pas être avec les enfants une mère hyper-protectrice, il est bon qu'ils ne me voient pas tout le temps. Mais en même temps, je puis m'occuper d'eux. » Presque toutes ces femmes sont mariées, et presque toutes regardent cette activité partielle comme un élément de leur liberté. « Il ne faut pas chercher plus loin le succès des boîtes de travail temporaire : c'est une nécessité pour les femmes, un moyen d'échapper à l'esclavage du travail de ménagère qui n'est jamais reconnu ni rétribué. D'ailleurs, on y vient peu à peu, officiellement et c'est une excellente chose » (assistante sociale, Sud-Ouest).

Curieusement, les hommes parlent peu de cette possibilité — et pour des raisons « sexistes » : il n'est pas bien vu pour la virilité de ne pas assumer un travail complet — évidemment quand on n'est pas chômeur : « J'aime mon métier d'infirmière, je vois du monde et je ne m'ennuie jamais. Mais mon mari, il est enfermé dans un bureau. Si on a un gamin, il serait plus logique que ce soit lui qui travaille à mi-temps et moi à temps complet. Mais les patrons, les collègues n'acceptent pas ça : un homme qui travaille moins que sa femme pour élever un enfant, c'est bon pour la Suède, pas pour la France » (infirmière, Centre).

Les cadres moyens ou inférieurs ne sont pas d'un avis différent de ceux qui, disposant d'un faible revenu, fuient tout ce qui pourrait diminuer ce dernier : « Les traites, la carte du club de tennis, la voiture à payer... ; non, c'est plutôt vers plus de travail que je m'oriente » (ingénieur, Paris). « C'est pour les congés que je travaille et que j'ai fait des heures supplémentaires, dit cet ouvrier de Paris. Si j'avais moins d'argent, on ne pourrait plus prendre cette maison qu'on loue tous les ans en Bretagne. Ce n'est pas cher, mais il faut avoir l'argent. Ce n'est pas long, mais nous en profitons tous vraiment. » Même avis chez un médecin de l'Est : « Je ne peux pas prendre de longs congés, nous partons en avion avec ma femme aux Antilles ou plus loin. C'est cher, mais c'est réussi parce que l'on en profite à fond, peut-être parce que c'est court. »

Ce temps vide n'est pas seulement celui de la famille, du jardinage ou des vacances. Il est certain que la télévision s'est emparé, voici une vingtaine d'années, de ce non-travail, qu'elle s'est installée comme un besoin ou une obsession insurmontable. Les gens qui ont vieilli avec elle gardent la même attirance, mais les hommes et les femmes de moins de 40 ans en sont détachés : on retrouve ici la convivialité du jeu, du sport, des invitations données et reçues, des échanges multiples entre couples, voisins, amis, les activités manuelles parfois solitaires qui alimentent ensuite d'interminables conversations. On dira que les choses se passent un peu de cette manière aux États-Unis, mais cela est neuf en France. Du moins avec cette intensité.

On avait pu, lors d'une enquête sur l'attitude des jeunes de 10 à 12 ans devant la télévision [1] repérer des réactions comparables au moment d'une grève. Certes, d'aucuns regrettaient ces émissions qui se continuaient sans eux, mais tous affirmaient qu'ils retrouvaient à ce moment le plaisir d'aller jouer avec leurs camarades, de se promener, de découvrir leur quartier ou leur région. Réaction similaire, lors des grandes pannes qui ont affecté la Bretagne : faute de télévision, en certains lieux, le régionalisme aidant, l'on a reconstitué la « veillée ».

Tous ceux qui aujourd'hui nous répondent révèlent une ambiguïté : on ne peut rejeter la télévision et, en même temps, on exalte les communications vivantes et particulières. Sans doute les média apportent-ils, comme un roman à épisodes ou comme un film, l'aventure du monde avec ses suspenses, ses rebondissements et ses intrigues. « Je vois tout cela comme un grand feuilleton », dit cet instituteur de l'Ouest ; ou ce paysan du Sud : « Je ne comprends pas tout, mais il me semble que j'attends la suite. » Et cela correspond à une distance prise vis-à-vis des média que l'on a déjà notée avec la représentation de l'« amour-passion ».

D'autre part, une communication horizontale, pour ainsi dire, entre les hommes et les femmes vivant ensemble devient attirante et fascinante, sans doute parce qu'elle a été oubliée ou refoulée durant de longues années. Ou simplement parce qu'elle est découverte avec tout l'attrait de la nouveauté : la convivialité latérale, la communication à hauteur d'homme l'emporte ici sur la communication hiérarchique des média. Ainsi, curieusement voit-on reparaî-

1. J.-P. Corbeau, U.N.E.S.C.O., 1979.

tre la lecture dont l'importance ne cesse de croître surtout parmi des hommes et des femmes qui, jusque-là, s'en étaient tenus plus ou moins à l'écart — employés, ouvriers, voire paysans.

Il ne s'agit pas d'un délassement, mais de quelque chose de plus subtil, de plus insaisissable : « Les émissions politiques, c'est ce qu'il y a de plus marrant : c'est guignol » (agriculteur, Centre). « Ce sont tous des copains et ils se tutoient en privé, et, en public, ils s'attaquent les uns les autres. On les regarde parce que c'est amusant de les voir s'engueuler. C'est leur métier, après tout » (artisan, Ouest). « Je vois ça comme je joue au loto : on parie sur l'un ou sur l'autre, qu'est-ce que ça change ? »

« On sait bien que c'est arrangé d'avance, et que tout est en fin de compte politique, pour faire valoir l'un ou l'autre. Nous, on est là pour marquer les points, comme au foot ! » (artisan, Paris). « Je regarde tout ce qu'on nous dit, et je me fais après une raison. Il arrive que je vérifie par des journaux. Il paraît que les journalistes ont plus de réflexion que les autres... » (cultivateur, Centre). « Ce n'est pas que je n'y crois pas, c'est que je pense toujours à mes traites, à mes chantiers, à l'un ou l'autre qui me fait des histoires, au travail, quoi, et alors, ça me paraît un peu comme un rêve » (artisan, Midi). Ou encore : « C'est si loin... On dirait qu'il y a quelque part un endroit où tout se prépare, où tout s'arrange et on te demande de dire oui ou non. A distance, comme cela, on ne peut rien vérifier. Oui, c'est surtout l'éloignement » (employé, Midi). « La famine dans le monde ? On nous montre cela quand on est à table, on est tous gênés, on mange parce qu'il le faut, mais on finit par se demander si l'on peut y faire quelque chose. Quand je serai à la retraite, je ne dis pas... » (fonctionnaire, Ouest).

Les films, les téléfilms, les jeux, oui, tout cela est vu, soupesé, mais surtout par les hommes et les femmes de plus de 40 ans. Encore qu'on ne s'y astreigne guère : « Parfois ma femme me dit qu'il y a ceci ou cela à la télévision, mais je suis fatigué et je vais au lit » (ouvrier, Est). « Au fond, je peux m'en passer, et je me demande si mes enfants ne s'en passent pas complètement : ils ont 15 et 16 ans, et ils se fréquentent les uns les autres avec des amis » (employé, Sud-Ouest). « Au fond, j'aime bien la voir, la télévision, mais je n'aime pas trop y croire. » Ce que dit cet instituteur du Nord paraît résumer une attitude générale...

Une présence-absence. A suivre les événements qu'on y relate, les catastrophes, les accidents politiques, on entre dans un domaine qui serait celui de la schizophrénie, et qui est simplement celui de la fiction. Pour les « nous » qui regardent, dès qu'il ne s'agit pas d'hommes ou de femmes impliqués dans le syndicalisme ou la politique, la crédibilité de l'image s'affaiblit.

Aussi croît en proportion inverse l'attrait pour les fictions réelles, celles qui se donnent pour telles : les westerns qu'on regarde avec la même attitude que les visiteurs d'un musée, avec un peu de nostalgie écologique parfois pour les libres espaces, les spectacles sportifs qui restent l'objet de la fascination la plus intense (« j'ai acheté une télé pour voir les matchs », dit cet ouvrier du Centre), la danse et surtout le patinage artistique qui semble recueillir la plupart des adhésions passionnées.

Est-ce méprisable, cet amour du corps en action, du corps habile qui paraît échapper aux lois de la pesanteur ?, qu'il s'intègre à une équipe de rugby, qu'il glisse sur la glace et ne paraisse plus être contraint par les lois de la pesanteur ? Ne pourrait-on établir un lien entre l'univers de ces spectacles et le graphisme fantasmique des bandes dessinées, les films d'anticipation ou les films de combat dans lesquels triomphe un combattant agile et surdoué venu d'Asie qui l'emporte par la seule agilité de son corps apparemment délivré des lois naturelles ?

Est-ce un rêve de puissance qui occupe ici, tantôt à la télévision, tantôt au cinéma, le temps vide ? Ou plutôt la nostalgie d'un monde où l'on pourrait tout, où l'on réussirait tout, où l'usage du corps échapperait aux lois mécaniques ? Freud pensait que nous nous laissons fasciner par les criminels présentés sur la scène du théâtre parce que ces derniers réalisent des actions interdites qui, si elles conduisaient à un « *passage à l'acte* », exigeraient de nous un pénible « refoulement » ; et que le plaisir ambigu que nous trouvons à ces représentations « interdites », résulte peut-être de ce que nous faisons voluptueusement l'économie d'une répression.

Est-ce que le spectacle du cinéma ou de la télévision ne nous apporte pas quelque chose de ce genre — fût-ce dans la politique ? La raison d'être de la « politique spectacle », n'est-elle pas qu'elle nous permet, sans trop y croire, de trouver plaisir à des affrontements violents, en faisant l'économie d'une adhésion ou d'une participation ? N'est-ce pas cela que véhiculent parfois les média ?

Ce temps vide, ce peut être aussi le lieu de ce qu'on appelle la « culture ». Débarrassons ce mot de toutes les connotations intellectuelles, politiques ou pédagogiques qu'il comporte. Et de son centralisme. On parle ici de plaisir, de la jouissance que l'on peut éprouver à se livrer à des activités inutiles, dépouillées de toute préoccupation fonctionnelle.

De ce point de vue, il est douteux que l'idée d'une réconciliation entre le patrimoine artistique ancestral et l'homme quelconque d'aujourd'hui soit admise universellement. Idée inséparable de la découverte de moyens techniques de reproduction des œuvres d'art, qui a obsédé W.Benjamin, Malraux, Jean Vilar au T.N.P. et qui s'est matérialisée dans les « maisons de la culture ».

Esthétique sociale qui a conquis surtout les employés, les jeunes, les enseignants, les cadres moyens ou supérieurs et qui n'a jamais atteint les paysans ni les ouvriers. De multiples enquêtes conduites depuis quinze ans, ressort l'échec de cette tentative. Tel animateur généreux cherche à entraîner les ouvriers d'une entreprise industrielle de la région lyonnaise : que peut-il leur dire ? Que le prix des places est le plus modeste possible ? Ils s'en moquent : ils sont prêts à dépenser dix fois plus pour assister à un match ou pour parier au tiercé. Que Racine ou Shakespeare sont « bons pour eux » ? Ils ne s'y reconnaissent pas, et peut-on le leur reprocher ? Ou reprocher aux auteurs de ne pas produire des œuvres qui portent avec elles la même force polémique que le sport ?

C'est le sport qui les attire. Ou cette expérience multiforme du bricolage — jardins imaginaires, comme ceux que B.Lassus a inventoriés, expérimentations photographiques ou même vidéo. On a parlé d'« art moyen » pour définir ces tentatives. Voilà bien une projection de clerc enfermé dans son bureau. Ou de « kitsch », ou d'« exécrable culture de masse » opposée à une « vraie » culture, qui n'a jamais existé [1].

Lorsque des hommes et des femmes perçoivent à leur manière, à l'intérieur de groupes formés dans les immeubles, les quartiers, les bourgades, qu'il existe des activités inutiles, qu'une part de leur expérience, jusque-là réprimée ou délaissée, les attire vers l'imaginaire au sens large — c'est à la créativité collective et individuelle que l'on a affaire : « J'ai trouvé que ce n'est pas la même chose de

1. Ce terme de bricolage a été utilisé par Lévi-Strauss pour évoquer les réajustements incessants que la « pensée sauvage » impose au legs mythique, généralement oral. On a utilisé ce terme, depuis, à tort et à travers. Faut-il rappeler que la création, dans sa manifestation la plus complexe, résulte elle aussi d'un bricolage. Aucun artiste n'a jamais tiré son expression d'une idée claire préalable, d'une « idée » platonicienne. L'imaginaire tâtonne sous les formes les plus diverses. Le Facteur Cheval et Marcel Duchamp procèdent de la même manière...

limer une pièce, de faire un outil et de me mettre à inventer des trucs pour le jardin » (ouvrier, banlieue parisienne). « On apprend à laisser passer ce qu'on a envie de dire et qu'on ne peut pas dire autrement » (employé, Ouest). N'est-il pas frappant et plus important que l'on découvre la jouissance des activités qui ne servent à rien ? Que le « fonctionnel », après des décennies de propagande utilitariste exacerbée, s'efface devant la reconnaissance, fût-elle humble et maladroite, de cette part de l'expérience commune à tous et qui tend vers l'imaginaire, voilà qui est plus important que ce que les pédants nomment « culture ».

Revenons au travail lui-même. Le besoin de rendre plus intenses les relations inter-humaines ne se limite pas au « loisir »...

Ces « bonnes relations » intérieures au travail concernent toutes les réponses qui nous sont faites — 67 % chez tous, 60 % pour les hommes, 70 % pour les femmes. Le gain n'arrive qu'en seconde position, puis le désir d'accroître ses propres responsabilités de gestion de l'entreprise (50 % des hommes, 20 % des femmes), enfin l'arrivisme de carrière — surtout attesté chez les cadres, les enseignants et, là encore, avec une forte proportion pour les hommes.

Ces « bonnes relations » concernent d'abord les employés condamnés au « huis-clos » du bureau, mais pratiquement toutes les professions leur accordent de l'importance. Cela justifie même, quelquefois, que l'on abandonne son travail pour échapper à une situation conflictuelle. « J'ai un ouvrier qui est vraiment excellent, et maintenant, c'est difficile à trouver, mais il est très susceptible. D'habitude on s'entend bien, mais quelquefois je pousse un coup de gueule pour une raison ou pour une autre : je suis sûr que le lendemain, il ne se présentera pas à l'embauche.

Une fois, il a fallu que j'aille chez lui. On s'est expliqué » (maçon, Ouest). « Le patron, il était vraiment chiant, fallait toujours qu'il fasse des remarques. Moi, je sais que je travaille bien, j'ai pas envie de me faire engueuler à longueur de journée, alors j'ai dit un jour en plein milieu de l'après-midi : j'en ai marre, je fous le camp ; je l'ai laissé tout seul sur son toit. Il me devait de l'argent, mais je ne suis jamais retourné le voir » (ouvrier couvreur, Centre).

« Avant, j'allais travailler à l'hôpital, c'était intéressant, mais le patron du service était toujours à pinailler, à faire des histoires. C'était une atmosphère épouvantable. Un matin qu'il avait dépassé les bornes, devant tout le monde je lui ai déclaré que je ne mettrais plus les pieds dans son service et qu'il trouverait quelqu'un d'autre. Je n'y suis jamais retourné » (masseur kinésithérapeute, Centre). Même comportement chez des salariés plus jeunes : « J'avais un job qui était plutôt intéressant, mais ceux qui travaillaient avec moi, me considéraient vraiment comme un minus qui venait d'arriver et qui n'avait rien à dire. Au bout de trois mois je suis parti. Maintenant je gagne un peu moins, mais je me plais à mon travail » (cadre commercial, 26 ans, Nord).

« La patronne ne s'entendait pas bien avec son mari. Elle se vengeait sur nous et nous attrapait en pleine boutique qu'il y ait des clientes ou non. Au début, je ne savais pas trop quoi faire, le travail était quand même intéressant, mais après quelque temps, grâce au cours de formation, j'ai rencontré des gens qui m'ont dit qu'ils me prendraient bien avec eux. Alors j'ai pas hésité et j'ai changé de place » (coiffeuse, 20 ans, Sud-Est).

Ce que l'on avait déjà observé dans *La planète des jeunes* se confirme donc six années plus tard : on préfère une bonne ambiance de travail au bon salaire et faire quelque chose d'intéressant plutôt que gagner beaucoup d'argent. Cela est vrai pour les plus jeunes, cela demeure chez ceux qui atteignent la trentaine, et cela existe aussi chez une majorité de personnes plus âgées. Ces nouveaux comportements, qui remettent en cause la définition du travail dans notre société et la société de production elle-même, ne peuvent pourtant nous conduire à défendre une vision utopique qui voudrait que les salaires, l'argent ne préoccupent plus nos contemporains français...

Nous avons certes rencontré quelques personnes pour lesquelles l'argent demeure le principal tourment : il s'agit généralement de personnes au revenu très faible ou des cadres supérieurs, des professions libérales, des patrons obéissant encore à des modèles de la bourgeoisie traditionnelle et qui souhaitent gagner toujours davantage, affichant une boulimie, un fétichisme de l'argent.

Et puis, il faut noter que dès que l'on se trouve en présence d'hommes ou de femmes, ayant des enfants, des changements interviennent dans leur attitude face à leur métier. S'ils étaient prêts, auparavant, à courir de place en place pour trouver un intérêt et une ambiance satisfaisante, au nom de la stabilité et d'une sécurité de revenu, ils acceptent davantage de concessions, dès lors qu'ils sont pères ou qu'elles sont mères.

Un cadre (37 ans, Sud-Ouest) explique : « Avant de me marier, j'ai fait pas mal de places. Dès que j'avais l'impression qu'on m'enfermait dans une routine, je partais. Si j'avais des problèmes relationnels, c'était pareil. Quand je me suis marié, cela n'a guère changé puisque ma femme pouvait me suivre sans que cela nous pose de gros problèmes. Mais depuis qu'il y a les enfants et, surtout, depuis qu'ils sont scolarisés, je ne peux plus me permettre d'être trop difficile... Changer de ville les perturberait, me voir changer régulièrement de boîte leur poserait des problèmes et modifierait nos habitudes. »

Il n'en reste pas moins vrai que le rapport à l'argent se modifie aujourd'hui : capitaliser pour le principe devient un acte exceptionnel que l'on rencontre seulement chez certaines personnes relativement âgées, particulièrement chez les commerçants et les artisans. Chez les autres, à la possession du capital se substitue celle d'une qualité de vie meilleure. L'argent circule : on achète des livres, des disques, des gadgets, on investit dans l'aménagement de son intérieur, on acquiert des objets symboles d'une forme de réussite sociale, on voyage...

Une nouvelle valeur accordée à la vitesse émerge au niveau de l'argent. Celui-ci doit circuler le plus rapidement possible [1] ; à la limite, avec le crédit, il joue sa fonction avant même qu'il ne soit gagné. Il a cessé d'être une finalité... La capitalisation relève d'un autre monde, sans doute parce que l'on craint l'érosion monétaire ou la dévaluation. Bref, on traduit immédiatement cet argent en objets concrets, en moments de plaisirs.

Et cela aussi bien en milieu urbain qu'en milieu rural, où les « nouveaux agriculteurs » n'en sont plus à enfouir un quelconque magot dans une cachette, mais réinvestissent au fur et à mesure de leurs bénéfices dans l'exploitation, à moins qu'ils ne se paient quelques jours de vacances ou que leurs épouses n'aménagent plus confortablement leur intérieur. Un agriculteur (40 ans, Est) déclare : « Le père et la mère, ils vivaient mal ; si c'était pas eux, je dirais qu'ils vivaient comme des cons. Ils travaillaient sans arrêt et ne se payaient presque jamais rien. Il y avait de l'argent, mais, étant gamin, je n'en ai pas vu la trace. A quoi ça sert de dire, j'ai de l'argent, si on n'y touche pas ! Nous ne sommes

1. Nous demandions aux enquêtés ce qu'ils feraient s'ils gagnaient une grosse somme à une quelconque loterie. Aucun n'a répondu qu'il la garderait. Tous traduisaient en maisons, appartements la somme indiquée, en soustrayant quelques millions pour se payer une belle voiture, un beau voyage (les deux symboliques de la vitesse et de l'ubiquité) et faire quelques dons à des œuvres humanitaires ou scientifiques.

pas des dépensiers, mais nous cherchons quand même à profiter de la vie. Les gamins ont tout ce qu'il leur faut. On se paie 10 jours de vacances dans l'année. Cela revient cher parce qu'il faut payer le vacher qui nous remplace, mais ça vaut la peine parce que ça nous change et ça nous fait du bien. » Un autre cultivateur confirme (38 ans, Centre-Ouest) : « Une fois qu'on a vu ce qu'il fallait mettre de côté pour acheter du matériel, s'il nous reste un peu d'argent, pourquoi n'en profiterait-on pas ? »

Il ne s'agit pas simplement de « prestige » social, d'une rivalité pour la possession d'objets symboliques, mais d'un droit au plaisir. Comment cela se concilie-t-il avec ce que nous disent les statistiques sur l'accroissement de l'épargne des Français ? Si l'on y regarde d'un peu près, cependant, on voit que cette épargne est constituée surtout par des « plans » ou des « comptes épargne-logement ».

C'est-à-dire qu'il s'agit moins de capitaliser que d'obtenir des conditions avantageuses pour acquérir une maison, un appartement, lieux de privatisation et de convivialité. Et quand ce premier objectif est atteint, il arrive qu'on se préoccupe de résidence secondaire. La preuve en est que certaines banques proposent depuis quelque temps d'ouvrir un compte-épargne pour l'achat d'un domicile secondaire.

Cette mutation dans l'attitude de nos contemporains vis-à-vis de l'argent et du travail révèle certaines valeurs ou croyances : au fétichisme qui s'attachait à l'argent, on oppose la possession immédiate de biens de plaisir : skis, planches à voile, voyages. On investit même dans l'automatisation et l'informatisation miniaturisées. La vitesse, mais aussi l'ubiquité : on achète des objets exotiques pour susciter un dépaysement. Vance Packhardt l'avait déjà signalé pour les Américains.

L'argent est un moyen pour assumer de nouvelles

valeurs. Il n'est plus un tabou. Il s'ouvre à la convivialité et au plaisir. Il est un instrument d'hédonisme.

Il faut parler ici du « travail noir », des fameuses « heures supplémentaires ». Ce que nous en apprenons renforce notre constat.

28 % de la population active interrogée effectuent des heures supplémentaires qui n'ont pas toujours la même signification. Chez cet ouvrier (39 ans, Nord) elles commencent à poser des problèmes : « Jusqu'ici j'en faisais quelques-unes, histoire d'arrondir les fins de mois, de pouvoir me payer quelques bricoles, mais maintenant ce n'est plus pareil. D'abord, j'ai de moins en moins envie de me crever pour pas grand-chose. Je suis mieux chez moi ou avec des copains. Ensuite, il faut reconnaître que le patron en propose plus, parce que le travail se fait de plus en plus rare. Enfin, j'ai peur d'être mal vu parce que faire des heures supplémentaires quand il y a des copains qui cherchent du boulot, ça la fout mal... »

Cette culpabilité n'est que rarement partagée par les enseignants du supérieur. Un assistant (31 ans, Ouest) explique : « Je sais, certains disent que nous sommes des privilégiés. C'est vrai que notre service d'enseignement n'est pas important, mais il faut préparer les cours, lire les travaux qui s'y rapportent, conseiller les étudiants, corriger les copies, aller aux réunions. L'un dans l'autre, cela fait plus d'une trentaine d'heures par semaine. Je ne parle pas de celles qui sont nécessaires au travail personnel, si l'on ne veut pas être remercié pour recherche insuffisante. Autrement dit, si je raisonne en chiffre, pour environ 40 heures effectives je gagne approximativement 5 500 F. Mais si je trouve un endroit où je peux resservir les cours que je prépare pour mon service, je ne vois pas pourquoi je refuserais. Tout le monde est satisfait : les étudiants, parce que le cours est sérieux, et moi parce que je gagne 100 F de l'heure au lieu de 35 F. Et qu'on ne vienne pas me lancer les mots d'ordre syndicaux. C'est pure hypocrisie. J'ai trouvé des délégués ou des responsables syndicaux qui s'offusquaient lorsqu'on leur proposait des heures supplémentaires ici. Seulement, j'ai découvert après qu'ils assuraient eux-mêmes pratiquement un double service en formation permanente, dans une autre ville ou dans une autre institution. » Les heures supplémentaires ici s'intègrent pratiquement au travail et au salaire, elles se confondent presque avec la normalité.

Enfin, il y a les heures supplémentaires que l'on perçoit sans qu'on les ait forcément effectuées. Une fonctionnaire de la police (32 ans) raconte : « Quand j'ai commencé à travailler, j'ai trouvé que c'était sympa et plutôt peinard. On se faisait des petits goûters, le chef nous permettait de sortir des fois avant l'heure pour faire nos courses. Ça se passait bien quoi !... Quand j'ai touché ma première paie, j'ai été surprise d'y voir figurer des heures supplémentaires, j'ai cru à une erreur, mais les collègues m'ont dit que c'était normal ; alors, faut pas être plus royaliste que le roi ! »

Tous les salariés ne sont pas aussi privilégiés et, dans l'ensemble, on refuse cet argent qui ampute son temps libre. Un technicien en bâtiment remarque : « Dans la boîte, il nous arrive souvent d'être obligés de travailler pendant le week-end : c'est quand les usines sont arrêtées qu'on peut faire des transformations. Au début, j'étais toujours partant parce que c'est avantageux au niveau des primes. Mais j'ai compris que j'étais long à récupérer. Et puis quand je faisais ça, je ne voyais pratiquement pas ma famille pendant quinze jours. Maintenant, à moins qu'on m'y oblige, je refuse ce genre de travail. »

Et le travail au noir ? 17 % des enquêtés ont avoué le pratiquer. Ce sont surtout des ouvriers du bâtiment ou des salariés doués pour le bricolage. Il est entendu que nous ne prenons pas en compte, ici, les petits patrons, les artisans, qui travaillent sans facture.

Chez ces 17 % d'enquêtés, les raisons invoquées pour justifier ce travail supplémentaire sont souvent les mêmes et elles n'obéissent pas au désir de constitution d'un capital que nous aurions pu attendre. On travaille pour rendre service, on travaille chez des amis ou chez des personnes rencontrées ou présentées par des connaissances. Un ouvrier électricien (Centre) le dit : « Je fais quelques installations par-ci, par-là. Cela coûte moins cher aux gens et puis cela leur rend service. Si les gens ne sont pas sympas, je n'accepte pas. Je ne cours pas après cela. » Le même ouvrier continue : « Avec l'argent que je gagne en travaillant au dehors, je constitue une petite cagnote, et comme ma femme me voit moins souvent puisque je travaille parfois le dimanche, il est normal que nous en profitions ensemble. Alors, tous les ans, on s'offre un beau voyage. » Un plombier confirme : « Travailler au noir, cela arrive, mais uniquement lorsque je connais les gens et que j'ai l'impression que je m'entendrai bien avec eux. » Ce n'est pas l'argent, mais l'ennui qui pousse cet autre électricien à travailler au noir : « Vous comprenez, je suis célibataire ; au boulot je rigole, y a les copains mais le samedi et le dimanche, je tourne en rond. Alors souvent un collègue me demande si je veux venir l'aider sur un chantier. C'est pas ce que je gagne, mais comme ça, je passe une bonne journée. »

Cet ouvrier soulève un problème que nous n'avons pas encore abordé et qui émerge dans certains entretiens : celui du travail-refuge.

On le rencontre surtout chez les jeunes femmes et il correspond à l'attitude inverse de celles des femmes qui optent pour le travail à mi-temps. « Avant je travaillais et cela me plaisait. Et puis il y a eu le petit. J'ai cessé de travailler mais je devenais vraiment folle. Je m'ennuyais seule à la maison. Alors j'ai recommencé à travailler pour retrouver les copains et les copines. Si je compte les frais de nourrice, la femme de ménage, je travaille pratiquement pour rien, mais je suis tellement plus heureuse » (employée, 27 ans, Centre). Ou encore : « J'avais des problèmes avec mon mari alors j'ai accepté plein de responsabilités et plein de travail. Au moins, j'étais occupée dans la journée et je rencontrais des gens intéressants » (enseignante, Est). Travail-régression ? Travail-thérapie ? Sans doute et cela se retrouve aussi chez cet artisan (Ouest) : « Quand je suis à la maison, les mômes crient, ma femme aussi. Je ne le supporte pas, alors je préfère retourner travailler ; là au moins je suis tranquille. »

La confirmation de ce travail-refuge surgit avec la retraite. Une couturière (67 ans) raconte : « C'est infernal depuis que mon mari a pris sa retraite. Il tourne comme un ours en cage, il ne sait pas quoi faire, il veut m'aider et moi je me rends bien compte qu'au fond je n'aime pas être ennuyée dans la cuisine. Auparavant il repartait au travail, on ne se voyait pas beaucoup alors, on s'entendait bien. » « Depuis que j'ai pris la retraite, je n'arrête pas ! Ma femme me demande : va faire les courses, fais le jardin, répare ceci, répare cela, aide-moi à la vaisselle. Au boulot j'étais moins ennuyé, et puis il y avait les copains » (retraité S.N.C.F., Centre). « Tant qu'il a travaillé, je ne m'en suis pas rendu compte, mais maintenant je sais que mon mari ne veut rien faire dans la maison. Avant, il prétextait son travail, maintenant il dit qu'il a le droit de se reposer. Mais au fond, à son travail, peut-être qu'il se reposait pendant que je faisais toutes les corvées » (petite commerçante, femme d'un ouvrier municipal à la retraite, Sud-Est).

Le travail-refuge confirme bien le besoin de fréquenter un groupe où l'on puisse communiquer. Simplement, au lieu d'être celui de la famille (très largement majoritaire chez nos enquêtés), il devient celui des collègues et confirme la nécessité d'une bonne entente sur le lieu d'exercice de sa profession.

Hiérarchies

Puisque l'on évoque les rapports personnels au sein de son métier, examinons quelle image l'on se fait de la hiérarchie.

27 % de ceux qui nous parlent estiment n'avoir aucun supérieur. Il s'agit essentiellement d'artisans, de commerçants, de patrons et de quelques membres des professions libérales qui semblent oublier aisément leur appartenance à un « ordre ». Ce sentiment d'indépendance constitue d'ailleurs l'attrait principal pour ce type de profession. Un artisan menuisier (Centre) explique : « Je ne peux supporter qu'on me donne des ordres, et c'est pour cela que je me suis mis à mon compte. » Même attitude chez un médecin : « J'aurais pu entrer dans un service à l'hôpital. C'est généralement plus intéressant et, en tout cas, cela est moins éprouvant, moins fatigant. Mais j'aurais été embarqué dans tout un tas d'intrigues, j'aurais dû me plier à la hiérarchie et cela aurait été insupportable... »

5 % des personnes interrogées jugent les rapports avec leurs supérieurs intolérables. Il s'agit d'ouvrières et d'ouvriers spécialisés qui, travaillant à la chaîne, sont en perpétuel conflit avec le personnel de maîtrise, ou d'employées importunées par des chefs dignes de figurer dans certaines pièces de Courteline. Un O.S. (industrie automobile) raconte : « Le contremaître m'a pris en grippe, sans doute parce que je suis une grande gueule. C'est un vrai salaud, il se croit un monsieur et ne veut pas se mêler à nous. C'est pire qu'un flic, il ne pardonne rien, qu'on soit fatigué ou non. » Une vendeuse dans un grand

magasin confesse : « Le chef de rayon, c'est un véritable obsédé. Il court après nous toutes, et s'il peut nous coincer dans un coin, il ne se prive pas. Il y en a qui marchent parce qu'elles ont peur, mais moi, je l'ai giflé. Depuis, il n'arrête pas de me faire des réflexions. C'est insupportable ! »

8 % des enquêtés jugent les rapports avec leurs supérieurs assez mauvais. Il s'agit d'ouvriers ou d'employés exerçant des responsabilités syndicales ou de cadres supérieurs qui s'estiment frustrés, voire rejetés, dans leur entreprise. Un fraiseur (région parisienne) déclare : « Je ne peux pas avoir de bons rapports avec le patron puisque je suis délégué syndical. On n'a pas les mêmes intérêts, alors ; si on est satisfait, ça va, mais comme généralement on ne l'est pas, eh bien on s'affronte. » « Le directeur est de la vieille école, il se figure que ce qu'il pense est toujours bien. Alors, souvent, je me demande pourquoi il m'a embauché puisqu'il ignore mes rapports et mes propositions » (cadre commercial, Nord). On remarque que les salariés qui jugent les rapports avec leur supérieurs mauvais, se rattachent toujours à un autre modèle que celui qu'ils croient défendu par le pouvoir. Les relations avec la hiérarchie deviennent difficiles dans la mesure où l'on propose une alternative au système dominant.

A l'inverse 17 % de nos enquêtés jugent leurs rapports avec les supérieurs bons ou excellents. Il s'agit, le plus souvent, d'employées de direction, de cadres ainsi que des ouvriers travaillant chez des petits artisans.

Mais la grande majorité (43 %) s'affirme indifférente dans les rapports avec ses supérieurs. « Mon chef n'est pas responsable de ce qui m'ennuie dans mon travail. Je crois qu'il est plutôt gentil comme homme, mais on ne se rencontre pas beaucoup. S'il partait et qu'un autre le remplaçait, je pense que ce serait pareil » (femme fonctionnaire, Sud-Ouest). « Je fais mon boulot, il fait le sien, c'est bonjour, bonsoir » (employée, Centre). « Il ne vient pas se mêler de mes affaires : il a les siennes » (ouvrier, Nord). « Dès l'instant où je fais mon travail, il n'a rien à dire » (cadre moyen, Centre).

Arrêtons là ces citations. Elles disent toutes la même chose. S'agit-il d'une indifférence à la hiérarchie — par ailleurs reconnue dans d'autres domaines, celui du savoir ou de la technique ? S'agit-il de la délimitation d'un territoire d'activité qui exclut ce respect qui s'attachait au « patron » — et qui s'y attache encore dans certaines administrations ou certains petits ateliers ruraux ? Un territoire que « nous » occupons. Un « Nous » ouvrier, employé, artisan, un « nous » actif qui pose par là le problème du pouvoir...

Pouvoir local

On a le sentiment, en écoutant la parole des autres, que la question n'est plus d'établir une coupure entre une gauche et une droite, mais entre deux mondes aux contours différents de ce que la bipolarisation de la politique traditionnelle suggère. Le territoire de l'ici et maintenant, de l'espace où l'on vit, où l'on travaille est celui d'une force anonyme, peu contrôlable, étranger au domaine des idéologies et des discours.

Fini, le leadership institutionnel, celui qu'on exerce, l'âge venu, dans une structure gérontocratique, celui que confèrent des diplômes ou des titres, celui que l'on hérite d'une lignée familiale. On lui préfère un leadership pour ainsi dire « biologique », appuyé sur des qualités réelles, tangibles, sur des capacités matérielles et intellectuelles plus importantes que les labels distribués par les institutions.

Alors, il est permis d'« admirer » le responsable : « Ce type, il est super... Tu verrais comme il raisonne » (employé, Centre). Ou bien cet ouvrier (Est) : « Ce gars-là, il a de l'or dans les mains. Il est capable de faire n'importe quoi, et vite. S'il demande un service, on le lui rend. L'autre chef est un incapable » (ouvrier métallurgiste, Est). Là seulement, devant la compétence et les « qualités humaines » (nous retrouvons la convivialité), on admet la dépendance. Celle qui résulte d'une hiérarchie « naturelle » ou traditionnelle paraît ne plus compter. Et, bien entendu, l'on admet la supériorité du patron qui est capable de rapporter de l'argent : « Celui-là, il sait dénicher des contrats de sous-traitance, et sans lui, la boîte serait fermée » (ouvrier, Centre).

Ce sont les « nous » qui importent, la solidarité des hommes et des femmes qui font le même travail, ensemble, dans le même cadre. Plus forte semble-t-il que l'unanimité en général des travailleurs qui paraît souvent abstraite. La « conscience de classe » passerait-elle aujourd'hui par la solidarité des ateliers, des bureaux, des écoles, des boutiques ?

Solidarité qui se manifeste en politique par la complicité active et mythique des gens d'une même région et la capacité d'agir sur un territoire connu et reconnu, d'assurer des responsabilités dans ce cadre et ce cadre seulement. « La politique vue de Paris, est-ce que ça nous touche ici ? Nous voulons d'abord nous organiser entre nous » (employé, Sud-Est). « Je ne sais pas ce qu'on leur doit, mais ils font comme si on leur devait quelque chose... Pourtant, c'est à nous qu'on se doit quelque chose » (employé, Centre).

Autogestion ? Le terme est souvent récusé — trop marqué d'abstraction, d'idéologie partisane. Quelque chose d'autre, intermédiaire entre la solidarité et l'enracinement dans un même lieu. Des enseignants, autrefois indifférents à l'établissement où le hasard des nominations les plaçait, s'y attachent. Les ouvriers s'enracinent autour d'une usine, d'une manufacture. Plus importante que la nature du travail et parfois le salaire, la communauté constituée par des compagnons, des camarades, des amis.

Ces « nous » concernent d'abord le pouvoir local — à l'usine, dans le village, le quartier, le bureau. On dit à tort que les hommes et les femmes se désintéressent de la politique. « Ce qui compte, c'est ce que l'on fait ici, entre nous, et nous sommes arrivés à empêcher la construction de la rocade, à obtenir une crèche » (employé, Nord). Souvent contre des représentants de l'autorité, de droite ou de gauche. La gestion compte plus que l'idéologie, le groupe, plus que le grand théâtre de la politique parisienne.

Le syndicalisme est plus admis que le parti. Même si, par habitude, on cotise pour un de ceux-là. Mais le syndicalisme lui-même est discuté : « La centrale, elle ne comprend pas toujours. Ils doivent discuter entre eux, dans les bureaux, faire de petites combines parce qu'ils ont des informations que nous n'avons pas. Nous, nous avons des problèmes précis et les petites querelles entre grandes boutiques, cela ne nous concerne pas » (employé pétrochimie, responsable syndical, Sud-Ouest). Les consignes sont admises, respectées, discutées après coup. Les « nous » se rebellent parfois : on ne veut plus être traité en objet. On veut compendre. On veut que les incitations générales recoupent les exigences de la vie quotidienne, sinon, c'est la fuite. « Il y a plusieurs années que je ne suis plus syndiqué : j'en ai eu par dessus la tête des alliances, des querelles, des rabibochages. On passait son temps à refaire en paroles la société et personne ne se souciait de changer ses propres habitudes... Maintenant, je suis un franc-tireur. Je fais la grève si la grève me semble justifiée. Sinon, je travaille et je dis pourquoi. Je ne veux pas être prisonnier de mots d'ordre. Je ne suis pas une machine » (enseignant,

35 ans, Centre). « Les grands mouvements contre ceci ou contre cela, au nom de principes très généraux qui seront abandonnés demain pour d'autres principes, c'est fini. Chaque secteur doit définir son activité et son combat. Nous sommes seuls habilités à en discuter » (employé, Paris). « Chez nous, les non-syndiqués sont souvent plus solides pendant les mouvements que les syndiqués. Pourquoi ? Parce qu'ils ne marchent que s'ils sont vraiment concernés » (ouvrier, Est).

« J'ai connu l'époque, dit un vieil ouvrier retraité, où l'on faisait marcher tout le monde pour un mot d'ordre. Le syndicalisme et le parti, c'était la même chose, et tout se décidait quelque part à Paris, dans un bureau. Ces choses ne marchent plus, sauf quand il s'agit de causes vraiment mobilisatrices. Mais il faut bien dire que les gens ne se mobilisent que s'ils sont impliqués, dans leur travail, leur quartier, leur intérêt. » De plus en plus, semble-t-il, on paraît ignorer les codes imposés, les prescriptions unanimes. Il ne suffit pas d'être travailleur pour se rassembler autour d'une idée diffusée par une centrale parisienne.

Passivité ? Endormissement ? Éloignement d'une politique globale ? Baisse de prestige des thèmes traditionnels ? Plus encore, une fuite devant les incitations impersonnelles : la vie intérieure des « nous » l'emporte sur les causes générales. Le pouvoir local sur la délégation du pouvoir...

On n'a parlé ici du travail qu'à travers sa réfraction par la parole ou la perception des hommes et des femmes interrogés et non, bien entendu, du travail lui-même dans toutes ses composantes économiques et sociales.

A entendre cette parole, il semble parfois que si le « tabou » du travail s'efface, si le travail devient un instrument de jouissance et d'hédonisme et si le chômage est d'autant plus douloureux qu'il prive ceux qui en subissent les effets de cette participation à l'« agape » générale, c'est que ce pays retrouve, avec ces groupes minuscules, une situation ancienne qui donnait alors raison à Proudhon contre Marx.

Que le mouvement de sociabilité latéral ou horizontal avec les communautés étroites, le pouvoir local, les multiples « nous », l'emporte sur l'adhésion verticale des grandes causes et de l'histoire, on peut le regretter. On le constate...

LES TOURBILLONS SOLITAIRES

Que savons-nous des Français, nos contemporains ? D'abord, qu'on ne peut se contenter de généralités simples. On ne peut parler sans ridicule *des* Allemands, *des* Français, *des* Américains, comme s'il s'agissait d'entités, comme s'il y avait un caractère propre à chaque nation. Ce sont là des idées-force qui servaient autrefois aux regroupements guerriers...

D'ailleurs, nous n'avons pas entrepris d'expliquer la société française dans sa totalité. Mais seulement de repérer, à travers la parole qui nous a été livrée, les grandes incitations qui animent la vie collective. Et ce que nous découvrons est multiforme, nuancé. Est-ce un aspect propre à la situation qui nous est faite entre la civilisation d'hier et une civilisation naissante qui ne s'est pas encore définie ? Le grand historien Léo Burckhardt disait que, durant ces périodes de transition, les hommes, détachés des valeurs anciennes déjà désaffectées, et incapables de percevoir les valeurs d'un monde non encore constitué, s'en remettaient à leur spontanéité et sans doute à leur pouvoir d'innover ou d'inventer.

Dirais-je que, depuis que je suis préoccupé de chercher, en dehors des discours d'école, les formes de l'expérience réelle cachées sous le masque de l'apparence, c'est à ces périodes de changements que je me suis attaché ? Depuis un village du Maghreb qui émergeait de l'oubli, jusqu'au théâtre et aux aspects de l'imaginaire. A travers nos investigations sur la jeunesse, les rêves et, maintenant, nos contemporains, on retrouve le caractère, riche de sens divers, de la mutation.

Nous traversons une période difficile : les « tabous » anciens se dévalorisent ou s'étiolent. Les aspirations nouvelles ne se formulent pas encore. Époque de consciences errantes, de retrait sur soi-même, de repli sur de petits groupes, des niches dans lesquelles, à l'abri du discours dominant et aveugle, on tente d'assurer sa part de vie. On pénètre à reculons dans un univers inconnu, imprévisible et qu'aucune des lois d'hier établies par des savants ne permet d'appréhender, voire de contrôler. Une civilisation se désagrège. Nous sommes dans l'écluse.

De toutes les informations transmises, on ne peut tirer aucune définition générale. Certains éprouvent de l'horreur devant cette fluidité, cette dissémination des croyances, des valeurs, cette pulvérisation des « tabous ». On dirait parfois que ce pays tente de se délivrer des grandes images qu'on a tenté de lui imposer — doctrines de l'histoire ou du développement, idéologies globales — et qu'il cherche, dans la prolifération des groupes, à reprendre haleine et, qui sait ?, à inventer de nouvelles utopies.

De cette parole commune émergent donc quelques thèmes ou incitations qui sont autant de chemins pour pénétrer dans cette vie commune affectée par la métamorphose : la « convivialité » qui rassemble les hommes et les femmes dans des niches parfois effervescentes, cette curieuse distance qui s'établit entre le public et les média et surtout l'intense privatisation qu'on retrouve partout et qui n'exclut pas une surprenante ambivalence vis-à-vis de l'État.

Ce sont là thèmes nouveaux. Ils n'apparaissaient pas dans les enquêtes anciennes. Nous ne pouvons savoir quelle conséquence ils peuvent avoir sur le comportement électoral ou politique. Un immense travail de manipulation ou de « rafistolage » des grands mythes ou des grandes idées publiques est à l'œuvre, dont on ne sait sur quoi il débouchera. N'est-ce pas déjà important de savoir que cette société française contemporaine soit imprévisible ?

On emprunte à Illich ce terme de « convivialité ». Il suggère une intense participation affective et intellectuelle interne à de petits groupes non structurés, souvent éphémères. Une forte complicité intime anime les mutuelles, les clubs, les réunions d'amis, les agapes, les quartiers, les bourgades, les ateliers.

Qui donc a vraiment examiné la vie de ces petites unités, de ces communautés où l'on consomme ensemble, en « vase clos », une quantité souvent importante de substance sociale ? On parle de nation, de partis, de classes, d'institutions, de strates, de grands ensembles, sans voir que la vie des hommes et des femmes se réalise dans ces petits milieux disséminés et pulvérulents.

Marcuse est mort, et morte avec lui l'image d'un vaste « prisunic » national, d'une société de consommation ; c'est en se retirant dans leur tanière que les hommes et les femmes paraissent jouir du peu qu'ils arrachent de jouissance : chapelles minuscules où la foi se morcelle, assemblées d'amis et de parents au milieu desquelles on souhaite mourir, valorisation du couple et des groupes de familles, assemblées de quartiers, de bourgades, compagnonnages d'ateliers ou de boutiques, clubs de sport, de culture, de voyage...

Assistons-nous alors à la résurgence de modèles archaïques : la revendication régionaliste, le retour aux musiques locales, l'animation rurale, les sectes ? C'est peu probable : la « tradition » n'est souvent que la forme ou l'alibi derrière lequel s'abrite une nouveauté encore inconnue. Sous le masque « rétro » chemine une métamorphose.

Quelle vocation nouvelle se cherche à travers les innombrables regroupements de tous les âges, tous les sexes, toutes les conditions, toutes les appartenances ? Il est malaisé d'en mesurer l'importance quantitative. Il est frappant qu'ils existent et qu'ils mettent en cause par leur seule vitalité les grands ensembles institutionnels qui les ignorent et parfois les combattent. La démocratie authentique, après tout, ne réside-t-elle pas dans la liberté d'appartenir à plusieurs groupes, et de les quitter, le cas échéant ?

C'est sans doute à une image infinie du monde social que l'on en arrive — infinie dans sa pluralité, sa dissémination en corpuscules qui se composent, se décomposent, se recomposent inlassablement. Si la société produit elle-même ses propres formes et les lois de son expérience, n'est-ce pas à travers cette atomisation collective qu'elle tente d'y parvenir ?

Convivialité qui déserte les services publics, les institutions religieuses, politiques ou culturelles, qui s'enrichit de son propre dynamisme... On a fait souvent des applications maladroites de la découverte de nos premières enquêtes depuis *La planète des jeunes* et que celle-là confirme. Mais il ne suffit pas d'en reprendre les mots, il faut aussi qu'une ethnologie de la réalité française contemporaine, libérée du fantasme des doctrines et même des images de l'histoire ou du progrès, constate qu'à travers la vitalité de ce pullulement, s'élabore peut-être une vision de l'homme...

Le second thème qui émerge de la parole entendue — et dans tous les domaines de l'expérience — suggère une attitude neuve devant les média : le message que diffuse le discours de l'information est entendu, visualisé, certes, mais pour la première fois, il n'entraîne ni adhésion, ni identification.

Une des illustrations de cette « distanciation » se trouve sans doute dans cet « amour-passion » dont on admet la force dès qu'il s'agit de spectacle, c'est-à-dire de fiction, mais que l'on ne cherche plus à imiter et que l'on récuse souvent pour la vie quotidienne : l'identification à des modèles proposés et chargés d'émotions absolues n'apparaît plus.

Et le barrage qu'établissait la télévision entre jeunes et parents n'existe plus non plus. Moins parce que les premiers se sont rangés que parce que le message des média n'est plus reçu servilement, qu'il existe une sorte de défense contre l'invasion unilatérale vis-à-vis du discours audiovisuel, méfiance que n'arrivent pas à surmonter les centres régionaux de diffusion.

A entendre les gens, on dirait qu'une distanciation s'établit entre ce qui est transmis et ce qui est perçu. Certes, les spécialistes ne se sont guère souciés de savoir comment était perçu le message qu'ils émettaient — estimant qu'il était reçu tel qu'il était fourni. Qu'il s'agissait seulement d'améliorer la qualité formelle des prestations pour que s'établisse un lien de persuasion. Les choses ne se passent pas ainsi. On dirait que cette distanciation que Brecht voulait imposer au théâtre pour éliminer toute effusion sentimentale n'a pas triomphé sur la scène, mais dans la circulation des messages et dans la trame sociale de la communication présente !

Ainsi, la politique paraît jouée plutôt que vécue. Autrefois, lorsqu'il m'était arrivé d'identifier la vie sociale à une vaste et multiforme théâtralisation, je pensais aux fêtes, aux entrées royales, aux émeutes urbaines, aux manifestations publiques, aux dramatisations de la vie collective qui impliquent une mise en scène — juger, décider, parler de Dieu, enterrer, célébrer les mariages. Depuis, on a souvent évoqué la « politique-spectacle », avec juste raison. Aujourd'hui, il semble que le lieu unique du « petit écran » ou des « étranges lucarnes » réduise toute vie politique à un espace clos.

Et l'on dirait qu'une fosse d'orchestre s'interpose maintenant entre les spectateurs et le message des média, que l'activité politique est perçue à distance, n'entraîne plus les puissantes mobilisations ou les identifications qu'elle suscitait autrefois — et aujourd'hui encore dans certains pays. Pour un village du Centre, J.-P. Corbeau avait pu constater que le spectateur paysan s'identifiait, par exemple, à J. Wayne, dans on ne sait quel western. Ces films, maintenant, sont perçus à distance, comme émergés d'un monde révolu. On les regarde avec l'amusement qui s'attache au « rétro ». Et le spectacle politique, lui-même, comme le témoignage d'une histoire lointaine.

Désintérêt ? Certes pas ! Simplement, distance prise avec la représentation des média — qui est perçue justement comme une mise en scène et une re-présentation. On n'y adhère plus totalement, parce que les exigences de la vie présente sont trop fortes : tout se passe comme si la conscience aiguë de la vie présente, de la « modernité » en somme, aidait à prendre du champ avec un ballet d'ombres qui ne recoupent la vie réelle que par le consentement qu'on leur accorde.

On le constate pour la radio, la télévision, les journaux. Le message est discuté, voire contesté parce qu'il apparaît comme différent, étranger aux nuances et aux difficultés de la vie quotidienne : ici, l'ouvrier est trop pauvre, là le riche trop riche, la logique du leader trop habile, trop générale. On salue les grands principes quand on les partage. On mesure mieux la distance qui les sépare de la vie dans sa contexture actuelle.

Faut-il parler des « informations » (dont tout le monde nous signale la brièveté ou l'insuffisance, surtout à l'Est et au Nord où l'on peut capter les télévisions étrangères) : elles sont reçues avec l'idée générale qu'il s'agit d'un

« montage », pour ne pas dire d'un « truquage ». On sait ce que peut la sophistication technique de l'image et du son. On connaît les instruments de la persuasion. Il en va de l'information comme de l'inconscient : quand tout le monde sait ce qu'ils sont, on prend ses distances.

Cela suggère-t-il une attitude nouvelle de nos contemporains envers l'image ? C'est possible. On sait que les sigles de la publicité télévisée ont bouleversé l'affiche et que la vitesse l'emporte sur l'explication : on ne mange plus lentement des symboles, on saisit des illuminations rapides comme le font les enfants devant les courts métrages où l'on vante les qualités d'un chocolat ou d'un fromage. Et cela met en cause ceux qui nous disent que nous consommons plus de symboles que de réalité. Le doute porté contre l'image des média suggère un retour à une matérialité dont la vie quotidienne, dans sa littéralité aggressive, est l'instrument.

Cela est particulièrement net dans le domaine de ce qu'on appelle la « culture ». Aux naïfs qui croient que les « héritiers » seuls profitent d'une « haute culture », que sa multiplication réduirait à un « art moyen » ou au « Kitsch », aux détracteurs des petits groupes d'amateurs ou des clubs où l'on ne parle bien entendu jamais le discours de l'université, faut-il rappeler que la consommation diversifiée en petits groupes est plus féconde que la massive pédagogie d'une culture diffusée à partir des hauts lieux de la connaissance ou de l'esthétique ?

On l'a vu : c'est à ces réajustements minuscules, ces erreurs sans doute, mais combien fécondes, ces bricolages innombrables et partiels que s'attache une boulimie métaphorique et, en somme, une sorte de créativité. L'idée qu'il pourrait exister un « champ culturel » est un fantasme d'intellectuel enfermé dans le privilège de son discours : l'invention se fait partout et plus que d'une attitude globale devant l'art ou la littérature, il faut aujourd'hui parler des microscopiques illuminations où s'élaborent de nouvelles formes...

La troisième dominante de nos réponses tient à cette privatisation partout constatée. Aux grandes images de la foi, répondent presque partout la revendication à une croyance individuelle fabriquée, au travail dans son expansion économique réplique la vie des ateliers, à la nuptialité, la vie du couple que l'on donne parfois comme provisoire mais où l'on cherche une intense complicité. Sans parler de ces agapes où l'on célèbre une manducation commune...

En politique, faut-il rappeler que l'on ne peut parler d'un désintérêt pour la gestion, mais d'un éloignement des grandes causes publiques, que partout le « pouvoir local » est préféré au pouvoir centralisé, que l'organisation des intérêts partiels est partout préférée aux grands rassemblements ? Même si l'on opte par un vote pour l'une ou l'autre des formations géantes ?

Il n'est d'ailleurs pas certain que l'on ne joue pas avec la « grande politique » un peu comme on joue au « loto » ou au « tiercé » et que les menus paris ne soient pas plus attirants que les vastes compétitions nationales. Une conscience parcellaire est à l'œuvre, et il est possible que le règne des grandes idéologies touche à sa fin.

Dans cette privatisation, ce que nous avons nommé le « rafistolage » ou le « bricolage », le ravaudage des idées reçues trouvent leur prétexte et leur instrument : la manière dont on « rapièce » les dogmes religieux pour les asservir aux réalités quotidiennes, les multiples façons d'accommoder les intérêts publics ou politiques, les rapports sexuels ou les « tabous » eux-mêmes, suggèrent un syncrétisme diffus. Si la dictature et le fascisme impliquent le rassemblement unanime et l'homogénéisation des groupes dans une « masse » anonyme et passive, alors nos contemporains ne sont pas mûrs pour ces aventures.

On ne dira pas non plus qu'ils soient prêts à soutenir l'une quelconque des grandes causes nationales ou universelles : la diversité des manipulations que l'on effectue sur la matière première des idées reçues, des symboles et des mythes interdit probablement aux hommes et aux femmes de se retrouver unanimes dans de puissants engouements. Peut-être cela les rendrait-il même dociles à admettre n'importe quelle domination, pourvu que se poursuive le mouvement d'égotisme parcellaire. Hypothèse invérifiable...

Mais revenons à la perception actuelle du pouvoir et de l'État. Une curieuse contradiction se fait jour, qui déconcerte l'observateur : la plupart des hommes et des femmes montrent un égal dédain pour les institutions, l'administration, le centralisme, et un besoin non moins attesté de trouver auprès de ces mêmes pouvoirs publics aide et assistance.

D'un côté, voilà le petit monde divers et multiple des groupes où l'on cuit ensemble une cuisine complice, et de l'autre l'attente jamais discutée d'un service dont on critique souvent l'efficacité. On abhorre les paperasses, on se regroupe dans les associations de « coups durs », mais on exige de l'État le versement des aides sociales, la régularité des transports et des traitements, le remboursement des dégâts causés par les catastrophes naturelles, la scolarisation régulière des enfants, la protection policière des biens et des personnes. On veut une mort à soi, on s'indigne du privilège des Pompes funèbres, mais on attend que le service fonctionne.

Trouverait-on là une des racines de cette ambibalence vis-à-vis de la police, de la justice et de la peine de mort ? On revendique la « défense privée », voire la « vendetta ». On excuse même certains crimes. Et, dans le même temps, on délègue à la puissance publique le devoir d'utiliser la mort comme dissuasion et comme châtiment. Une attitude magique se cache-t-elle sous cette contradiction ? Ne cherche-t-on pas à conjurer la menace de la violence en la renvoyant au grand théâtre de la justice ?

Oedipienne ambiguïté que celle d'un État-père dont on attend la protection et dont on redoute, dont on déteste l'existence. Situation qui remonte peut-être à la Révolution. Comme si une loi de « double frénésie » balançait ce pays entre le dynamisme exaspéré de petits groupes, l'hédonisme des abris ou des niches et l'attente d'une assistance qui lui serait due par un État assimilé au service public. Entre l'« anarchie » libertaire et le jacobinisme centralisateur, ce pays a-t-il vraiment choisi ?

Étrange société, étrange peuple. Nous pensions en commençant cette enquête que l'on pouvait parler d'une sorte d'hypocrisie unanime et admise qui caractériserait une incessante contradiction entre les « tabous » et les pratiques. C'était une erreur : c'est la ruse qui apparaît, une pratique constante et subtile qui permet à des individus que la société maintient dans un état de « coinçage », de mutilation et comme d'inachèvement, de trouver un plus vaste champ d'existence.

D'incessantes et minuscules modifications sont à l'œuvre, qui échappent aux généralités des planificateurs ou des doctrinaires — et dont un jour ou l'autre, ces derniers doivent tenir compte. N'a-t-on pas noté qu'à partir d'une certaine augmentation des impôts, les redevances fiscales cessaient de s'accumuler dans les caisses de l'État parce que les individus ou les groupes, dédaignant d'accroître leurs ressources, cherchaient une compensation dans le travail noir ou l'entraide ?

Nous n'avons certes pas tenté ici d'embrasser la totalité de la société française actuelle. Seulement, de repérer à travers la parole que nous a livrée l'enquête, les thèmes probables qui animent la vie commune de ce pays dans une époque de transition. La part que nous en avons examinée donne à penser de l'immensité de la tâche qui devrait être celle de la sociologie ou de l'ethnologie !

Voici plus de cent cinquante ans, Balzac percevait la diversité de ces univers innombrables qui composent la vie collective française, et s'en laissait fasciner ; alors, pour se retrouver elle-même, après la Révolution, la société se cherchait à travers des drames, des conflits, des ruses particulières et minuscules que la fiction transposait. Mais, comme le disait Oscar Lewis, la littérature s'est aujourd'hui dessaisie de cette tâche en faveur de l'analyse sociale [1] : nous en recevons l'héritage et l'obligation, sans pouvoir entreprendre une aussi vaste, une aussi puissante investigation que celle qui dominait *La Comédie humaine*...

Et pourtant, de tout cela, résulte une image : celle d'un triple mouvement circulaire qui entraînerait les hommes et les femmes de ce pays en d'immenses tourbillons qui ne se mêleraient jamais. Trois tourbillons qui obéissent chacun aux lois de leur révolution particulière...

Voici le tourbillon de l'État et de la classe politique, des idéologies, de l'administration et des institutions, des affaires et des média : il tourne sur lui-même indéfiniment dans un mouvement continu, s'engendrant lui-même en absorbant les hommes et les femmes qui participent à son puissant entraînement. Disposant de la force et de la persuasion, indépendant des régimes et des systèmes, il emporte avec lui l'autorité, l'assistance, les services publics et la mystique des grandes adhésions nationales...

Non moins fermé sur lui-même, chargé de tous les

1. *Le Monde*, 12 avril 1969.

pouvoirs du « sens » et de l'explication, de la pédagogie et du savoir, voici le tourbillon infiniment plus petit, sinon moins actif, de l'intellectualité, réunie ou non en classe, en groupes opposés ou complices : on touche (ou l'on convoite) à cette part de média dont dispose l'État, mais avec coquetterie, avec sombre plaisir. On lorgne vers le tourbillon du pouvoir sans jamais y entrer vraiment. Mais on engendre idéologies, dogmes, images du monde. On s'installe dans l'explication du monde. On en vit. Et qu'importe la réalité, qu'importe la pénétration réelle des idées : le tourbillon est plus fort qui emporte tout un chacun...

Voici, enfin, le tourbillon des « autres » — celui dans lequel nous avons tenté de pénétrer. Isolé, séparé des deux précédents. Il entraîne avec lui les hommes et les femmes qui ne seront jamais des gens de pouvoir ni des gens de savoir. Hommes et femmes quelconques, gens d'usine, de champs et de cafés et qui se retrouvent dans la pulvérulence des groupes et des amicales. Ceux-là sont emportés dans la consommation corpusculaire, microscopique d'une vie commune diversifiée en d'innombrables complicités. Ils triturent et rafistolent les grands mythes qu'ils reçoivent des autres cercles que constitue la société française présente.

Trois tourbillons qui effectuent chacun leur révolution propre sans jamais se mêler entre eux, sans qu'aucune interférence sauf individuelle ne s'établisse entre ces mouvements circulaires. Tourbillons ou nébuleuses qui n'arrivent pas à se condenser en noyaux solides, qui se méconnaissent et se dédaignent les uns les autres, jusqu'à ce qu'une « nouvelle donne » redistribue heureusement, autrement, les chances...

J.D.

TABLE

L'impression de ce livre
a été réalisée sur les presses
des Imprimeries Aubin
à Poitiers/Ligugé

Achevé d'imprimer le 10 avril 1981
N° d'édition, 2729. — N° d'impression, L 13487
Dépôt légal, 2e trimestre 1981
23.47.3571.01
ISBN 2.01.007819.5

Imprimé en France

23.3571.9